KU-167-531

Potęga podświadomości

Joseph Murphy

Z niemieckiego przełożyła
Mariola Kęcka

Tytuł oryginału
THE POWER OF YOUR SUBCONSCIOUS MIND

Projekt okładki
Mirosław Miroński

Redakcja
Ewa Niepokólczycka

Korekta
Maria Włodarczyk

Świat Książki
Warszawa 2006
Bertelsmann Media sp. z o.o.
02-786 Warszawa, ul. Rosoła 10

Druk i oprawa
Białostockie Zakłady Graficzne SA

ISBN 83-7129-023-3
Nr 1042

Kto umie czytać,
posiadł klucz do wielkich czynów,
do nieprzeczuwanych możliwości,
do upajająco pięknego,
udanego i sensownego życia.

Aldous Huxley

Spis rzeczy

Przedmowa

Jakie cuda może zdziałać ta książka w twoim życiu

Na własne oczy widziałem, jakie cuda dokonywały się na ludziach wszelkich warstw społecznych, ras i narodów. Cud odmieni także twoje życie, jeśli zaczniesz wykorzystywać magiczną moc podświadomości. Niniejsza książka ukaże ci, w jaki sposób twoje nawyki myślowe i siła wyobraźni kształtują, organizują i rozstrzygają twój los; natura i charakter człowieka są bowiem tożsame z tym, co zawiera jego podświadomość.

Czy wiesz, dlaczego?

Dlaczego życie jednych mąci smutek, a życie innych rozświetla szczęście? Dlaczego jeden człowiek cieszy się bogactwem i szacunkiem, kiedy jego sąsiad żyje w nędzy i niedostatku? Dlaczego jednego człowieka dręczy niepewność i lęk, kiedy inny, pełen wiary w siebie, spogląda ufnie w przyszłość?

Dlaczego jeden człowiek posiada luksusową willę, gdy inny dokonuje żywota w dzielnicy nędzy? Dlaczego jeden człowiek przeżywa pasmo sukcesów, kiedy inny stacza się coraz niżej? Dlaczego jeden mówca porywa masy, gdy inny nie znajduje u słuchaczy żadnego oddźwięku? Dlaczego jeden dokonuje genialnych osiągnięć, kiedy inny w otępieniu oddaje się bezdusznemu zajęciu? Dlaczego ktoś przetrwa nieuleczalną rzekomo chorobę, która dla innych oznacza śmierć? Dlaczego tylu dobrych i bogobojnych ludzi zaznaje niewymownych cierpień psychicznych i fizycznych, kiedy inni, wyzuci z sumienia, cieszą się najlepszym zdrowiem i promiennymi sukcesami? Dlaczego jakaś żona żyje w szczęśliwym stadle, kiedy jej siostra u boku męża doznaje tylko cierpień i rozczarowań? Dlaczego?

Odpowiedź na to i na wiele innych pytań tkwi w naturze i w działaniu podświadomości.

Dlaczego napisałem tę książkę

Pisząc tę książkę pragnąłem nie tylko odpowiedzieć na te i inne pytania, ale też uwidocznić pewne zależności. Starałem się w prostych słowach wyjaśnić podłoże i najgłębsze tajemnice twojego życia duchowego; od dawna bowiem byłem niezbicie przekonany, że nawet najskrytsze współzależności ludzkiego umysłu można przedstawić w całkiem zrozumiały sposób. W książce tej napotkasz zatem ten sam potoczny język, jaki znasz z fabryki, biura i domu rodzinnego. Chciałbym jak najusilniej zachęcić cię do uważnego przeczytania tych stronic i do zastosowania opisanych tu metod, ponieważ wiem z całkowitą pewnością, że odsłoni to przed tobą niezwykłą moc, która wyzwoli cię z szarpaniny i zmagań, uwolni od przygnębienia i uchroni od niepowodzeń. Książka ta da ci siłę pokonywania kłopotów, moc potrzebną do osiągnięcia należnej ci pozycji, wyzwoli cię od psychicznych i fizycznych cierpień i pomoże znaleźć wolność, szczęście i spokój ducha. Niezwykła moc twojej podświadomości uzdrowi cię, budząc w tobie drugą młodość. Panowanie nad mocami psychiki uwolni cię od mnóstwa krępujących cię w tej chwili lęków i obaw, otwierając przed tobą życie w takim szczęściu i wolności, jakie dzieciom Bożym ukazywał św. Paweł.

Klucz do niezwykłej mocy

Najbardziej chyba przekonywającym dowodem na cudowne moce naszej podświadomości jest przeżycie własnego uzdrowienia. Przeszło 42 lata temu zostałem wyleczony ze złośliwego wrzodu zwanego przez medycynę „mięsakiem" – i wiem, że ta sama moc, która mnie stworzyła, do dzisiaj kieruje życiem mojego organizmu. Dokładny opis techniki, jaką wówczas zastosowałem, z pewnością wzbudzi w czytelniku ufność **w nieskończoną moc uzdrowicielską**, jaka tkwi w głębi duszy każdego człowieka. Życzliwym słowom mojego przyjaciela i medycznego doradcy zawdzięczam nagłe zrozumienie, że owa **stwórcza mądrość**, która ukształtowała moje ciało, stworzyła wszystkie jego narządy i kazała sercu bić, najlepiej zdoła uleczyć własne dzieło. Wszak stare przysłowie powiada: „Lekarz opatrzy, Bóg wyleczy".

Cuda to odpowiedzi na „skuteczne" modlitwy

Pod pojęciem „modlitwy naukowej" rozumiemy harmonijne współdziałanie świadomych i podświadomych sił umysłu, wykorzystanych w określonym celu metodami potwierdzonymi przez naukę. Książka ta nauczy cię techniki odsłaniającej niewyczerpane rezerwy sił psychicznych, których spożytkowanie spełni wszystkie twoje pragnienia. Jeśli pragniesz sensownego, pełnego i szczęśliwego życia, użyj tej nowej, niezwykłej mocy, aby naprostować swoje życiowe ścieżki, uporać się z osobistymi i zawodowymi kłopotami, a w rodzinie wprowadzić harmonię. Przeczytaj tę książkę koniecznie kilka razy! Ukaże ci ona działanie owej przedziwnej mocy, a także sposób, jak spożytkować mądrość drzemiącą w głębi twojej duszy. Naucz się wpływać na swoją podświadomość – to bardzo łatwe!

Zastosuj tę nową, opartą na naukowych podstawach metodę, która odsłoni ci ogrom twoich sił psychicznych. Przeczytaj wnikliwie te stronice, otwierając się na zawarte tutaj rady. Przekonaj się sam o zdumiewających wynikach, jakie daje ta metoda. Jestem absolutnie przekonany, że lektura tej książki może być i będzie punktem zwrotnym w twoim życiu.

Każdy człowiek się modli

Czy potrafisz modlić się „skutecznie"? Czy kiedykolwiek modlitwa miała w twoim życiu stałe miejsce? W chwilach niedostatku, zagrożenia, choroby i śmiertelnego strachu modlitwa sama ciśnie się na usta. Raz po raz czytamy w gazetach, jak to gdzieś cały kraj łączy się w modlitwie o wyzdrowienie dziecka dotkniętego rzekomo nieuleczalną chorobą, o ocalenie zasypanych w kopalni górników lub o zachowanie pokoju na świecie. Uratowani górnicy opowiedzą potem, że straszne chwile do nadejścia ekip ratunkowych spędzili na modlitwie. Pilot pasażerskiego odrzutowca przyzna, że modlił się, podchodząc do przymusowego lądowania. Nie ulega wątpliwości, że siła modlitwy służy nam zawsze w potrzebie. Dlaczego nie chcesz na co dzień korzystać z jej skutecznej pomocy, czyniąc z niej stały i dobroczynny składnik codzienności? Nagłówki gazet donoszą o dramatycznych uniesieniach modlitewnych, oświadczenia pod przysięgą potwierdzają skuteczność modlitwy. Ale co sądzić o tych cichutkich modlitwach, jakie odmawiają dzieci; modlitwach, w których dziękujemy Bogu za zastawiony stół i w których pojedynczy człowiek z oddaniem i wiarą zwraca się do Stwórcy? W mojej pracy dla ludzi musiałem badać rozmaite odmiany modlitw i różne ich pobudki. Potęgi modlitwy doświadczyłem na sobie samym; współpracowałem i rozmawiałem z wieloma ludźmi, których modlitwy zostały wysłuchane. Kłopot polega na tym, by nauczyć ludzi modlitwy „skutecznej". Człowiek w potrzebie myśli i działa na ogół niezbyt rozsądnie; potrzebna jest więc prosta, niezawodna formuła.

Książka niniejsza jest jedyna w swoim rodzaju

Zaletą tej książki jest jej praktyczność. Zapoznaje ona czytelnika z całym szeregiem prostych, łatwych w użyciu technik i formuł, do zastosowania zawsze i wszędzie. Tych łatwych technik uczyłem ludzi na całym świecie. Dopiero niedawno niektóre spośród opisanych tu odkryć przedstawiłem audytorium w Los Angeles. Wielu spośród ponad tysiąca słuchaczy pokonało trzysta albo czterysta kilometrów, by uczestniczyć w moich wykładach. Ta książka również dlatego powinna cię zaciekawić, że wyjaśni ci, dlaczego często następowało dokładne przeciwieństwo tego, o co się modliłeś. Mnóstwo ludzi na całym świecie zadawało mi to samo pytanie: „Dlaczego, choć wciąż się modlę, nigdy nie jestem wysłuchany?" W tej książce poznasz sposoby, jak rozwiewać podobne wątpliwości. Liczne przedstawione tu metody wpływania na podświadomość i znajdowania właściwej odpowiedzi nawet w chwilach zwątpienia nadają tej książce wartość zawsze dostępnego i niezawodnego w każdej sytuacji życiowej poradnika.

W co wierzysz?

O skuteczności modlitwy nie przesądza ani jej przedmiot, ani treść. Modlitwa zostaje wysłuchana raczej wtedy, kiedy podświadomość danej osoby zareaguje na jej myśli lub wyobrażenia. To prawo wiary działa we wszystkich religiach świata, nadając im psychologiczną prawdziwość. Chrześcijanie, mahometanie, buddyści i ortodoksyjni żydzi wysłuchiwani są w ten sam sposób – i to nie dlatego, że należą do określonego wyznania i spełniają pewne rytuały, ceremonie, formuły, liturgie, modlitwy i ofiary, ale tylko i wyłącznie dlatego, że głęboko wierzyli w wysłuchanie ich modlitwy. Prawa życia i wiary są jednakowe, pojęcie „wiary" zaś zdefiniować można tyleż trafnie, co zwięźle jako „myśl" albo „treść intelektualna". Umysł, ciało człowieka i jego koleje losu są takie same, jak jego sposób myślenia, sposób odczuwania i wiara. Systematyczna technika oparta na podstawowym zrozumieniu pobudek i sposobu twojego działania zapewni ci udział w bogactwach tego świata. Wszak wysłuchanie modlitwy to w gruncie rzeczy nic innego jak urzeczywistnienie określonych pragnień.

Pragnienie i modlitwa są tym samym

Każdy z nas pragnie być zdrowy, szczęśliwy i bezpieczny, pragnie spokoju i prawdziwej samorealizacji, ale tylko nielicznym się to naprawdę udaje. Niedawno pewien profesor uniwersytetu powiedział mi: „Wiem, że zmiana nawyków myślowych i przewartościowanie w życiu uczuciowym uwolniłyby mnie na zawsze od wrzodów żołądka. Niestety, nie znam ani sposobu, ani metod, by tę wiedzę wcielić w życie. Mój umysł szamoce się wśród kłopotów, czuję się zawiedziony, przygnębiony i nieszczęśliwy." Profesor ten tęsknił do pełni zdrowia; potrzebował jednak jasnego zrozumienia, jak przebiegają procesy umysłowe – zrozumienia, które spełniłoby jego pragnienia. Zastosowanie przedstawionych w tej książce metod leczenia w krótkim czasie przywróciło mu zdrowie.

„Każdy człowiek ma swoją cząstkę w duchu świata, łączącym całą ludzkość"

Niezwykłe moce twojej podświadomości istniały, zanim się urodziłeś; istnieniem wyprzedzają wszelkie kościoły, a nawet istnienie świata. Wielkie, wieczne zasady i prawdy życiowe są starsze od wszelkich religii. Będąc o tym głęboko przeświadczony zachęcam cię – opatrując tę zachętę tytułem z R.W. Emersona – do lektury poniższych rozdziałów; obdarzą cię one bowiem niezwykłą, magiczną mocą przemiany, mocą, która leczy wszelkie rany, jakie życie zadaje umysłowi i ciału; mocą, która pociesza duszę dręczoną lękiem i która na zawsze uwolni cię od nędzy, niepowodzeń, niedostatku i rozczarowań. Wystarczy, abyś utożsamił się z tym dobrem, jakie pragniesz urzeczywistnić – a twórcze moce twojej podświadomości odpowiednio zareagują. Zacznij jeszcze dzisiaj, od zaraz, a w twoim życiu zdarzą się cuda! Nie ulegaj zniechęceniu, idź niestrudzenie naprzód, aż światło dnia wypłoszy cień.

Rozdział 1

Skarbiec w twoim wnętrzu

Kiedy wejrzysz umysłem w swoje wnętrze, odkryjesz skarbnicę niewyczerpanych bogactw. Twoja dusza kryje złotą żyłę, której odkrycie zapewni ci wszelkie dostatki, jakich spodziewasz się po szczęśliwym życiu. Wielu ludzi dlatego przypomina lunatyków, że wewnętrzne zasoby mądrości i miłości pozostają przed nimi ukryte. A przecież każdy może czerpać z tego źródła, ile dusza zapragnie. Namagnesowany kawałek żelaza unosi ciężary, które dwunastokrotnie przekraczają jego własny ciężar – kiedy go jednak rozmagnesować, ten sam kawałek metalu nie ruszy z miejsca nawet piórka. Porównanie to można odnieść do człowieka. Osobnik przepełniony magnetyczną siłą pełen jest wiary we własne siły. Wie, że urodził się po to, by zwyciężać i odnosić kolejne sukcesy. Osobnika „rozmagnesowanego" natomiast nękają lęki i wątpliwości. Kiedy nadarza mu się jakaś korzystna okazja, powiada sobie: „Nic z tego nie wyjdzie. W najlepszym razie będzie mnie to kosztowało majątek. Wystawię się tylko na pośmiewisko." Ludzie o tym sposobie myślenia nigdy do niczego w życiu nie dojdą, brak im bowiem odwagi, by iść naprzód, przez co bezradnie pozostają na lodzie. Ty jednak poznasz rozwiązanie zagadki i jak magnes przyciągać będziesz pomyślność, bogactwo i władzę.

Największa tajemnica wszechczasów

Co, twoim zdaniem, jest największą tajemnicą wszechczasów? Tajemnica energii jądrowej? Wyzwolenie ogromnych sił poprzez rozbicie atomu? Bomba neutronowa? Podróż do gwiazd? Nie? O co więc chodzi? Gdzie szukać tej największej tajemnicy? Jak ją rozwikłać? Jak zastosować? Odpowiedź na te pytania jest tyleż niesłychana, co zaskakująca. Tajemnica, o której mówimy, tkwi wyłącznie w niezwykłych mocach twojej podświadomości. Któż właśnie w niej szukałby tylu zagadek?

Cudowna moc twojej podświadomości

Gdy tylko nauczysz się wyzwalać cudowną moc podświadomości, twoje życie wypełni nieprzeczuwane bogactwo, władza, zdrowie, pomyślność i radość.

Mocy tej nie musisz zdobywać – ty już ją masz. By z powodzeniem stosować ją we wszystkich dziedzinach i we wszystkich aspektach życia, musisz jedynie pojąć własną naturę i sposób działania.

Potrzebną po temu wiedzę i zrozumienie posiądziesz sam, poznając opisane tutaj proste metody i techniki. Wszystko ukaże ci się w nowym świetle, z własnego wnętrza wysnujesz siłę, która pomoże ci urzeczywistnić mnogość nadziei i marzeń. Postanów więc mocno, że odtąd ułożysz sobie życie bogatsze, wspanialsze i szlachetniejsze niż dotychczas.

Najgłębsze warstwy twojej podświadomości kryją nieskończoną mądrość, nieskończoną moc i niewyczerpane uzdolnienia i możliwości, które czekają tylko na to, by je rozwinąć i przejawić. Musisz sobie uświadomić, że owe psychiczne moce naprawdę istnieją i wkrótce objawią się w twoim życiu. Jeśli tylko będziesz chłonny, ukryta w twojej podświadomości mądrość zawsze i wszędzie uczyć cię będzie ciekawych rzeczy. Podświadomość jest źródłem nowych pomysłów i idei – być może drzemie w tobie odkrywca albo wynalazca, a może pisarz czeka na twórczą realizację. W każdym razie bezgraniczna mądrość podświadomości pouczy cię na pewno o prawdziwych cechach twojego charakteru, o twoich prawdziwych talentach i o tym, jak je najlepiej udoskonalić i spożytkować, abyś zdobył w życiu miejsce, jakie ci przysługuje i jakie ty – i tylko ty – zdołasz najlepiej zapełnić.

Moce podświadomości mogą też zetknąć cię z idealnym towarzyszem życia albo partnerem w interesach. Idąc za głosem podświadomości znajdziesz chętnych nabywców i zyskasz finansową niezależność, która pozwoli ci wreszcie być sobą i robić to, o czym zawsze marzyłeś.

Masz prawo odkryć ten wewnętrzny świat myśli i uczuć, ową niewyczerpaną moc, postrzegania, miłość i piękno. Siły to wprawdzie niewidzialne, ale przemożne. Twoja własna podświadomość daje rozwiązanie każdego problemu i kryje przyczynę każdego skutku. Nauczywszy się zaś odkrywać owe ukryte siły, posiądziesz rozeznanie i moc potrzebną, aby żyć w bezpieczeństwie, radości i dostatku, będąc panem własnego losu.

Sam byłem świadkiem, jak moc podświadomości przywracała chorym i kalekim zdrowie i dawną siłę, dzięki czemu mogli znowu odnaleźć w świecie szczęście i powodzenie. Twoja podświadomość ma przedziwną, leczniczą moc uzdrawiającą ciało i duszę; potrafi rozerwać więzy krępujące twój umysł i wyzwolić cię z niewoli ograniczeń materialnych i fizycznych.

O potrzebie silnego oparcia

Bez silnego oparcia i bez znajomości powszechnie użytecznych prawideł nie sposób osiągnąć prawdziwych postępów w żadnej dziedzinie ludzkiej działalności. Dlatego najpierw musisz nauczyć się poprawnego korzystania z „narzędzia”, jakim jest podświadomość. Jej moce zadziałają w takiej mierze, w jakiej ty zrozumiesz działające tu prawa i potrafisz je zastosować do określonych celów.

Jako dawnemu chemikowi nasuwa mi się przyrodnicze

porównanie: kiedy zmieszać wodór z tlenem w proporcji 2:1, powstanie woda. Z pewnością wiesz także, że jeden atom tlenu i jeden atom węgla tworzą tlenek węgla, czyli bardzo trujący gaz. Jeśli jednak dodasz kolejny atom tlenu, powstanie z tego całkiem niewinny dwutlenek węgla. Do tych dwu przykładów można by jeszcze dorzucić wiele innych spośród mnóstwa związków chemicznych.

Błędem byłoby sądzić, że podstawowe prawa chemii, fizyki i matematyki w jakikolwiek sposób różnią się od praw podświadomości. Przypomnijmy sobie tylko zasadę: „Lustro wody zmierza zawsze do pozycji poziomej". Prawo to dotyczy wszelkiej wody, gdziekolwiek by się znajdowała. Albo inny przykład: „Tworzywa rozszerzają się pod wpływem ciepła". Ta zasada także działa bez ograniczeń zawsze i wszędzie. Kawałek stali rozszerzy się pod wpływem ciepła niezależnie od tego, czy eksperyment przeprowadzimy w Chinach, w Anglii czy w Indiach. Chodzi tutaj o pewną uniwersalną prawdę.

Równie powszechnym prawem jest to, że każde działające na twoją podświadomość w czasie i przestrzeni wrażenie znajduje odbicie jako sytuacja zewnętrzna, doświadczenie i wydarzenie.

Twoja modlitwa zostanie wysłuchana, bo twojej podświadomości dotyczy uniwersalna zasada – przy czym „zasada" oznacza tutaj przyczynę i rodzaj pewnego działania. I tak na przykład zasadą elektryczności jest to, że prąd płynie z wyższego do niższego pola sił. Kiedy użyjesz prądu do swoich celów, nie będzie to miało wpływu na ogólną zasadę – a przecież to przyjazne wykorzystanie natury przyniosło kapitalne odkrycia i wynalazki służące całej ludzkości.

Również i twoja podświadomość działa według uniwersalnej zasady; jest to zasada wiary. Trzeba, byś poznał, czym jest wiara, jak ona działa i co sprawia. W proste, jasne i piękne słowa ujmuje to Biblia: *„Zaprawdę powiadam wam: Kto powie tej górze: „Podnieś się i rzuć się w morze", a nie wątpi w duszy, lecz wierzy, że spełni się to, co mówi, tak mu się stanie"* (Mk 11, 23).

Prawem umysłu ludzkiego jest prawo wiary. Trzeba zatem

uwierzyć w sposób działania umysłu i w sam umysł. Wierzysz w to samo, co w duchu myślisz – oto cała tajemnica.

Wszystko, co przeżywasz i robisz, wszelkie wydarzenia i okoliczności twojego życia to reakcje podświadomości na twoje myśli. A zatem nie przedmiot wiary sprawia to wszystko, ale samo jej istnienie w twoim umyśle. Uwolnij się od błędnych przekonań i poglądów, od ślepych przesądów i bezzasadnych lęków, jakie dręczą ludzkość. Uwierz za to w niezmienne, wieczne realia i prawdy życia. Wtedy bowiem zmierzać będziesz naprzód i ku górze – ku Bogu.

Ktokolwiek przeczyta tę książkę i zastosuje ujawnione w niej prawa podświadomości, potrafi odtąd formułować podbudowane naukowo i skuteczne modlitwy za siebie i za innych ludzi. Również twoje własne modlitwy wysłuchane zostaną zgodnie z prawem przyczyny i skutku, akcji i reakcji. Myśl jest ziarnem czynu. Zdarzenie zaś to nic innego jak reakcja twojej podświadomości na rodzaj i istotę twojej myśli. Kiedy oddasz się myślom i wyobrażeniom o harmonii, zdrowiu, spokoju i dobrej woli, w twoim życiu zaczną dziać się cuda.

Dualizm umysłu

Z jednej strony, umysł twój stanowi jedność. Z drugiej jednak strony, umysł ludzki – o czym dobrze dzisiaj wiedzą ludzie wykształceni – pełni dwie zasadniczo odmienne funkcje, dzieląc się tym samym na dwa różne obszary o całkiem odrębnych, niepowtarzalnych właściwościach i siłach. Istnienie tych dwu osobnych sfer znajduje wyraz w wielu określeniach obiegowych i naukowych. I tak rozróżnia się świadomość i podświadomość, umysł obiektywny i subiektywny, umysł czuwający i śpiący, jaźń płytką i głęboką, umysł swobodny i nieswobodny, męski i żeński oraz wiele innych. W niniejszej książce postanowiliśmy używać pojęć „świadomość" i "podświadomość".

Świadomość i podświadomość

Odmienne funkcje obu tych sfer świadomości można najlepiej uwidocznić przez porównanie umysłu do ogrodu. Sam jesteś ogrodnikiem i siejesz myśli w żyzną glebę podświadomości. Rodzaj i jakość ziarna zależy od twoich nawyków myślowych; cokolwiek bowiem sobie zakorzenisz w podświadomości, wyrośnie i objawi się albo w twoim ciele, albo w życiu.

Od dziś staraj się zatem natchnąć podświadomość myślą o spokoju, szczęściu, słusznym postępowaniu, dobrej woli i dobrobycie. Przemyśl to wszystko w spokoju i traktuj z pełną świadomością jako coś już urzeczywistnionego. Rzucając w podświadomość takie ziarno, zbierzesz piękny plon. Podświadomość porównać można z żyzną próchniczną glebą, w której bujnie rosną wszelkie zasiewy dobre czy złe. *Czy zbiera się winogrona z ciernia albo z ostu figi?* (Mt 7, 16). Każda myśl jest zatem przyczyną czegoś, a każda zewnętrzna lub wewnętrzna okoliczność – skutkiem. Jeśli więc chcesz, aby twoje sprawy szły w pożądanym kierunku, musisz niepodzielnie zapanować nad własnymi myślami. Kiedy nauczysz się poprawnie myśleć, kiedy zrozumiesz prawdę, a w podświadomość zasiejesz pozytywne, harmonijne i życzliwe myśli, wtedy dojdzie do głosu magiczna moc twojej podświadomości. Wszystkie sprawy przybiorą pomyślny obrót. Mając kontrolę nad procesami myślowymi, zdołasz użyć sił podświadomości do pokonania wszelkich kłopotów. I w ten sposób sprzymierzysz się z niewyobrażalną mocą i wszechwładnym prawem, jakie rządzi wszechświatem.

Gdziekolwiek się znajdziesz, rozejrzyj się, a stwierdzisz, że przeważająca większość ludzi wiedzie życie ograniczone do spraw powierzchownych. Psychiczne i umysłowe procesy we własnym wnętrzu zaprzątają jedynie garstkę światłych ludzi. Pamiętaj jednak, że to właśnie twoje życie wewnętrzne – czyli myśli, uczucia i wyobrażenia – stwarza świat zewnętrzny. Dlatego też jedyną twórczą siłą jest podświadomość i wszystko, cokolwiek znalazło wyraz w świecie naszych zmysłów, stworzyła – świadomie lub nieświadomie – moc podświadomości albo umysłu.

Gdy zrozumiesz wzajemne oddziaływanie na siebie podświadomości i świadomości, zdołasz gruntownie odmienić swoje życie. Jeśli chcesz w nim zmienić okoliczności zewnętrzne, musisz najpierw wpłynąć na ich przyczyny. Większość ludzi próbuje zmieniać zewnętrzne okoliczności zewnętrznymi środkami. Chcąc jednak usunąć spory, zamęt, niedostatek i wszystko, co pogarsza twoje samopoczucie, musisz dotrzeć do sedna problemu – to znaczy całkowicie przestawić sposób świadomego myślenia i ustanowić całkiem nowy porządek w świecie swoich myśli i wyobrażeń.

Podświadomość reaguje na każdą twoją myśl z wrażliwością precyzyjngo instrumentu. To zaś oznacza, że twoje myśli kierują określonym korytem nieskończoną mądrość, witalność i energię, jakie płyną przez twoją podświadomość. Otaczają cię bezcenne skarby. Zastosowanie w praktyce spisanych tu praw ludzkiego umysłu cudownie przemieni twoje życie: biedę zamieni w dostatek, ciemnotę i przesądy w mądrość i wiedzę, bolesny niepokój zaś w ukojenie. Doświadczysz radości zamiast bólu, światła zamiast ciemności, zgody zamiast skłócenia, ufności i wiary w siebie zamiast lęku i zwątpienia, powodzenia zamiast niepowodzeń, a także wyzwolenia z tyranii codzienności. Pod względem umysłowym, psychicznym i materialnym trudno o większe błogosławieństwa. Większość wybitnych naukowców, plastyków, poetów, śpiewaków, pisarzy i wynalazców posiadła głęboką wiedzę o działaniu ludzkiej świadomości i podświadomości.

Światowej sławy tenora Caruso opadła kiedyś nagła trema. Skarżył się, że strach dosłownie zaciska mu gardło jak pętla. Twarz miał zlaną potem. Choć nie posiadał się ze wstydu wobec stojących przy nim osób, dygotał jednak ze strachu na myśl, że za kilka minut ma wyjść na estradę. „Wystawię się na pośmiewisko", mówił, „nie mogę śpiewać". Nagle jednak wziął się w garść i głośno zawołał: „MAŁE JA chce we mnie zdławić WIELKIE JA!" Po czym przemówił wprost do tego, co nazwał „małym ja": "Wynoś się, bo WIELKIE JA chce mną zaśpiewać!" (Mówiąc o „wielkim ja" miał na myśli mądrość i siłę podświadomości tkwiącą w każdym człowieku). „WIELKIE

JA chce zaśpiewać!" – jego podświadomość zareagowała na to przerwaniem wewnętrznych barier. Kiedy przyszła jego kolej, wyszedł na estradę i jego wspaniały głos jak zwykle oczarował słuchaczy.

Ta znana anegdota nie pozostawia wątpliwości co do tego, że Caruso wiedział o istnieniu dwóch pięter umysłu, a mianowicie sfery rozumowej i sfery podświadomości. Na twój sposób myślenia reaguje również i podświadomość. Kiedy lęki i troski wypełniają twoją świadomość („małe ja"), wyzwala to w podświadomości („wielkim ja") negatywny stan emocjonalny, który z kolei przenosi się na świadomość – pod postacią złych przeczuć, rozpaczy albo paniki. Gdybyś się więc kiedyś znalazł w podobnej sytuacji, spróbuj przemówić do negatywnych odczuć w twojej podświadomości stanowczo i autorytatywnie: „Bądźcie cicho, uspokójcie się! Ja tu rządzę, a wy macie słuchać moich rozkazów. Nie macie tu czego szukać, wynoście się!"

Oto bardzo ciekawa obserwacja: zaburzenia równowagi psychicznej mijają niemal jak ręką odjął, kiedy stanowczo i z przekonaniem przemówi się do podświadomości. Właśnie dlatego, że podświadomość podlega nakazom świadomości, określa się ją mianem „**pod**świadomości" albo świadomości „subiektywnej".

Główne różnice funkcji i działania

Główne różnice najlepiej chyba wyjaśni następujące porównanie: świadomość odgrywa mniej więcej taką rolę jak kapitan albo sternik na mostku kapitańskim. To on wyznacza kurs statku i wydaje niezbędne rozkazy ludziom z maszynowni. Ci z kolei obsługują kotły, urządzenia i maszyny. Załoga nie pyta, w którą stronę płynie statek, ale po prostu słucha poleceń. Gdyby człowiek na mostku kapitańskim nie umiał obchodzić się z kompasem, sekstansem i innymi instrumentami nawigacyjnymi, i gdyby podejmował błędne decyzje, załoga płynęłaby na rychłą zgubę. Ludzie w maszynowni słuchają jednak kapitana, ponieważ jest dowódcą, a jego polecenia należy bezwzględnie wykonywać. Tu nie ma miejsca na wahania – marynarz ma po prostu słuchać rozkazów.

Kapitan jest panem statku i wszystko dzieje się tam wedle jego woli. W przenośnym sensie twoja świadomość pełni rolę kapitana, który rozkazuje, ciało zaś i wszystkie dotyczące cię sprawy przyrównać można do wspomnianego statku. Twoja podświadomość wykonuje bowiem wszelkie rozkazy, jakie pod postacią osądów i przekonań przesyła jej świadomość.

Gdy wszystkim w koło powtarzasz: „Na to mnie nie stać”, wtedy podświadomość łapie cię za słowa i pilnuje, żebyś naprawdę nie mógł lub nie mogła kupić upragnionej rzeczy. Dopóki będziesz wbijać innym i sobie do głowy, że nie stać cię na samochód, podróż do Ameryki, dom, kożuch, futro z norek itd., możesz być pewien albo pewna, że podświadomość weźmie to za rozkaz i że do końca życia przyjdzie ci poniechać tych marzeń.

W wigilijne przedpołudnie pewna młoda studentka z rozmarzeniem wpatrywała się w wytworną i drogą torbę podróżną na wystawie ekskluzywnego sklepu skórzanego. Późnym popołudniem miała pojechać do Buffalo, żeby spędzić święta razem z rodziną. Już cisnęły się jej na usta słowa: „Nie stać mnie na tę torbę”, kiedy przypomniała sobie, co słyszała na jednym z moich wykładów. Otóż sformułowałem wtedy zasadę: Nigdy nie wyrażaj negatywnej myśli! Zmień ją natychmiast w wyobrażenie pozytywne, a zdziała ono cuda!

Powiedziała zatem: „Ta torba jest moja. Można ją kupić. Uważam ją za swoją własność – a podświadomość już zadba o to, żebym tę torbę dostała.” W Wigilię o ósmej wieczorem otrzymała w prezencie od narzeczonego dokładnie taką samą torbę, jaką podziwiała o dziesiątej przed południem, uznawszy ją za swoją własność.

Ta młoda dziewczyna, studentka Uniwersytetu Południowej Kalifornii, wprawiła umysł w stan radosnego oczekiwania, urzeczywistnienie swoich wyobrażeń powierzając podświadomości, która przecież ma swoje sposoby. Opowiadała mi: „Nie miałam dość pieniędzy, żeby kupić tę torbę. Ale teraz wiem, gdzie zdobyć potrzebne środki finansowe i wszystko, czego mi jeszcze potrzeba – a mianowicie, w niewyczerpanym skarbcu mojego wnętrza."

Wyjaśnijmy działanie podświadomości na innym jeszcze przykładzie. Kiedy mówisz: „Nie lubię grzybów", a rzeczywiście częstują cię sosami albo sałatkami zawierającymi grzyby, wtedy z pewnością dostaniesz rozstroju żołądka, ponieważ twoja podświadomość powie sobie: „Szef (czyli świadomość) nie lubi grzybów". Tego rodzaju reakcje rzucają ciekawe światło na różnice funkcji świadomości i podświadomości.

Kiedy ktoś powiada: „Jeśli późnym wieczorem napiję się kawy, na mur beton zbudzę się o trzeciej nad ranem", to wypicie kawy o późnej porze niechybnie wywoła taki skutek. Głos podświadomości szepnie wtedy, komu trzeba: „Szef chce, żebyś zbudził się o trzeciej nad ranem".

Podświadomość przez dwadzieścia cztery godziny na dobę dba o twoją pomyślność i podrzuca ci owoce twoich nawyków myślowych.

Jak zareagowała jej podświadomość

Parę miesięcy temu pewna pani napisała do mnie następujący list: „Mam 75 lat, jestem wdową, a moje dzieci dawno dorosły i poszły na własny garnuszek. Dostaję emeryturę i żyję całkiem na uboczu. Ale pewnego dnia wybrałam się na Pański wykład o potędze podświadomości, w którym dowodził Pan, że poprzez stałe powtarzanie, wiarę i ufne oczekiwanie wpoić można podświadomości pewne idee.

Zaczęłam więc parę razy dziennie z całym przekonaniem mówić do siebie: Istnieje ktoś, komu jestem potrzebna. I wyszłam szczęśliwie za mąż za człowieka mądrego, dobrego i serdecznego. Moje życie nabrało sensu!

Przez dwa tygodnie powtarzałam sobie to zdanie, aż pewnego dnia w drogerii spotkałam pewnego aptekarza, który wycofał się już z czynnego życia zawodowego. Zrobił na mnie wrażenie dobrego, wyrozumiałego i bardzo religijnego człowieka. Był dokładnie taki, o jakiego się modliłam. W niecały tydzień później oświadczył mi się. Jesteśmy teraz w podróży poślubnej po Europie. Wiem, że Bożym zrządzeniem zetknęła nas mądrość mojej podświadomości."

Również i ta pani odkryła skarbnicę własnego wnętrza. Uwierzyła, że modlitwa stwarza pewną rzeczywistość, i przekonanie to udzieliło się jej podświadomości, którą poznaliście już jako prawdziwie twórcze medium. Gdy zdołała przekazać podświadomości obraz wymarzonego przyszłego partnera, podświadomość urzeczywistniła treść jej modlitwy. Głębokie warstwy jej podświadomości, pełne mądrości i wiedzy, zetknęły tych dwoje zgodnie z wolą Boga.

Nie ma wątpliwości: „*W końcu, bracia, wszystko, co jest prawdziwe, co godne, co sprawiedliwe, co czyste, co miłe, co zasługuje na uznanie: jeśli jest jakąś cnotą i czynem chwalebnym – to miejcie na myśli*" (Flp 4, 8).

STRESZCZENIE

1. Twoje wnętrze kryje niewyczerpaną skarbnicę. Zwróć spojrzenie ku wnętrzu, a znajdziesz spełnienie swoich najgorętszych pragnień!

2. Największa tajemnica, dostępna wybitnym ludziom wszystkich epok, polega na porozumiewaniu się z własną podświadomością i na wyzwalaniu własnych sił. Ty też to umiesz!

3. Twoja podświadomość zna rozwiązanie wszystkich problemów. Jeżeli przed pójściem spać zasugerujesz jej: chcę zbudzić się o szóstej rano – zbudzi cię punktualnie.

4. Twoja podświadomość ukształtowała twoje ciało i potrafi także leczyć jego niedomagania. Zasypiaj co noc z przekonaniem, że cieszysz się całkowitym zdrowiem, a najwierniejszy sługa, podświadomość, posłucha twojej sugestii.

5. Każda myśl coś sprawia – jest przyczyną; każda zaś sytuacja jest czymś spowodowana – jest skutkiem.

6. Cokolwiek chcesz urzeczywistnić – czy przekonać kogoś na wykładzie, czy napisać książkę – usilnie i ufnie wpajaj podświadomości własne wyobrażenia, a ona odpowiednio zareaguje.

7. Jesteś niczym kapitan przy sterze. Jego zadaniem jest dawać właściwe polecenia. Ty również musisz myślami i wyobrażeniami wydawać odpowiednie rozkazy podświadomości, która kieruje całym twoim losem.

8. Nigdy nie mów: „Na to mnie nie stać" ani: „Tego nie potrafię". Twoja podświadomość będzie cię trzymać za słowo i zadba o to, żeby naprawdę zabrakło ci potrzebnych środków albo umiejętności. Zamiast tego z wiarą w siebie stwierdzaj: „Siła mojej podświadomości otworzy mi wszystkie drzwi".

9. Prawo życia i prawo wiary są jednym i tym samym. Wierzyć to myśleć, myśleć w duchu. Nie wierz, to znaczy nie myśl o niczym, co mogłoby urazić cię albo ci zaszkodzić! Uwierz w uzdrowicielską, oświecającą, umacniającą i uszczęśliwiającą moc swojej podświadomości! W cokolwiek żarliwie uwierzysz, spełni się w tobie i dla ciebie!

10. Zmień nawyki myślowe, a odmienisz swój los!

Rozdział 2

Działanie twojego umysłu

Naucz się w pełni korzystać z danego ci umysłu. Jak już wiesz, istnieją w nim dwa odrębne obszary: z jednej strony, sfera świadoma, kontrolowana rozumem, z drugiej zaś – sfera podświadoma, niedostępna prawom logiki. Rozumujesz przy pomocy umysłu świadomego, a twoje nawyki myślowe przejmuje podświadomość, by przekazanej myśli nadać potem kształt. Warstwy podświadome są siedliskiem uczuć i stanowią sferę twórczą. Jeśli pomyślisz o dobru, powstanie z tego dobro, natomiast złe myśli sprowadzają zło. Na tym – i na niczym innym – polega funkcjonowanie twojego umysłu.

W naszym ujęciu decydujący jest fakt, że podświadomość zaczyna natychmiast urzeczywistniać wszelkie otrzymane inspiracje. Równie ciekawym, jak wnikliwym odkryciem jest to, że podświadomość jednakowo poddaje się zarówno dobrym, jak i złym myślom, i odpowiednio reaguje. Negatywne myśli niosą zatem niepowodzenia, rozczarowania i nieszczęścia. Jeśli jednak wypracujesz harmonijne i pozytywne nawyki myślowe, zaznasz zdrowia, powodzenia i dobrobytu. Kiedy już nauczysz się kierować uczucia i myśli na właściwe tory, spokój ducha i fizyczne zdrowie na pewno przyjdą same. Czegokolwiek zapragniesz i przyjmiesz w duchu za już urzeczywistnione, podświadomość uzna za fakt i niezwłocznie wykona. Twoim zadaniem jest tylko przekonać podświadomość – już ona zatroszczy się o to, by zapewnić ci zgodnie z życzeniem zdrowie, harmonię albo uznanie zawodowe. To w **twoich** rękach spoczywa władza rozkazodawcza – twoja podświadomość słucha i wiernie urzeczywistnia rozkazy. Prawo twojego umysłu brzmi następująco: **Twoje świadome myśli i wyobrażenia wywołują analogiczną reakcję podświadomości.**

Psychologowie i psychiatrzy tłumaczą nam, że wszystkie myśli przesyłane podświadomości pozostawiają wrażenia w komórkach mózgu. Gdy tylko przekaże się podświadomości jakieś wyobrażenie, ona niezwłocznie je urzeczywistnia. Przy pomocy skojarzeń myślowych wykorzystuje całą wiedzę i doświadczenie, jakie do tej pory zgromadziłeś. Korzysta przy tym z nieskończonej mocy, energii i mądrości dostępnej w twoim wnętrzu. Aby osiągnąć dany cel, twoja podświadomość wchodzi w przymierze z wszystkimi siłami i prawami natury. Czasem rozwiązuje twoje problemy od razu, kiedy indziej każe na to czekać dniami, tygodniami lub dłużej – **wszystko to jest do dziś niezbadanym procesem.**

Dokładniejsze rozróżnienie pojęć „świadomy” i „podświadomy”

Musisz stale pamiętać, że umysł nie jest rozbity na dwie osobne, niezależne części. Świadome i podświadome procesy to jedynie dwa obszary działania tego samego umysłu. Proces myślenia rozgrywa się w świadomości. Myśląc dokonujesz wyboru. Świadomością zatem wybierasz na przykład lekturę, miejsce zamieszkania i towarzysza życia. Wszelkie decyzje podejmuje twoja świadomość. Z drugiej jednak strony wewnętrzne procesy w organizmie nie poddają się twojej woli. Podświadomość steruje zatem na własnych zasadach biciem twojego serca, trawieniem, krążeniem krwi i oddechem.

Twoja podświadomość bierze za dobrą monetę wszystko, co jej wpoisz i w co świadomie uwierzysz. W przeciwieństwie jednak do świadomości nie poddaje logicznej próbie przekazywanych jej procesów i zależności, nie wysuwa też zastrzeżeń wobec przedstawianych faktów. Twoja podświadomość przypomina glebę, która przyjmuje wszystkie nasiona, dobre i złe. I właśnie twoje myśli można porównać do zasiewanych ziaren. Negatywne, destrukcyjne myśli również w podświadomości nie zaprzestają niszczycielskich działań, prędzej czy później wydając odpowiednie owoce, które urzeczywistniają się w twoim życiu w postaci nieprzyjemnych przeżyć i zdarzeń.

A zatem pamiętaj: twoja podświadomość nie sprawdza, czy twoje myśli są dobre, czy złe, słuszne czy niesłuszne – ona jedynie reaguje odpowiednio do tych myśli i wyobrażeń. Jeśli więc będziesz przekonany o prawdziwości jakiegoś stanu rzeczy, wtedy i podświadomość przyjmie go jako trafny i odpowiednio zareaguje – choćby twój pogląd, obiektywnie biorąc, miał być błędny.

Eksperymenty psychologiczne

Liczne prowadzone przez psychologów eksperymenty – w tym również doświadczenia z hipnozą – dowiodły, że podświadomość nie jest w stanie dokonać logicznego rozumowania, nie potrafi bowiem wybierać ani porównywać. Przyjąwszy więc jakąkolwiek sugestię za fakt dokonany, zareaguje zgodnie z jej treścią.

Wprawny hipnotyzer łatwo dowiedzie, że podświadomość jest podatna na wpływy. Wystarczy, by zasugerował testowanej osobie, że jest Napoleonem Bonaparte albo nawet psem czy kotem – a dana osoba nader przekonywająco wcieli się w wyznaczoną rolę. W stanie hipnozy następuje całkowita przemiana osobowości, dlatego osoba testowana utożsamia się z zasugerowaną postacią i jej sposobem życia.

Na tej samej zasadzie można człowiekowi zahipnotyzowanemu wmówić, że zamienił się w marmurowy posąg, że bolą go plecy, że leci mu krew z nosa, że jest nieznośny upał albo że dygoce z zimna – a za każdym razem nastąpi pożądana i odpowiednia reakcja, przy czym osoba ta straci zdolność postrzegania czegokolwiek, co nie mieści się w ramach danej sugestii.

Te proste przykłady rzucają światło na różnicę pomiędzy świadomym, sterowanym rozumowo obszarem umysłu, a podświadomością, która będąc niezdolną do indywidualnej i logicznej krytyki, bierze za dobrą monetę wszystko, co świadomość poda jej jako fakt. Dlatego właśnie decydujące znaczenie ma to, by dopuszczać do siebie wyłącznie dobroczynne i kojące myśli i wyobrażenia, niosące szczęście i radość.

Co oznacza umysł „obiektywny" i „subiektywny"?

Świadomość określa się też czasem mianem „umysłu obiektywnego", ponieważ zajmuje się ona przedmiotami świata widzialnego, zewnętrznego. Ta część umysłu pobiera informacje od pięciu zmysłów. Umysł obiektywny prowadzi cię i doradza we wszystkich relacjach z otoczeniem. Korzystanie z pięciu zmysłów dostarcza ci niezbędnych wiadomości. Twój umysł obiektywny uczy się poprzez obserwację, doświadczenie i wychowanie. Dlatego też główna umiejętność i zadanie umysłu obiektywnego polega na logicznym myśleniu.

Załóżmy, że jesteś jednym z tysięcy owych turystów, którzy każdego roku zwiedzają Paryż. Twoje osobiste wrażenia z rozległych parków, bogatych ulic, majestatycznych pałaców i szacownych budowli znajdują odbicie w ogólnej ocenie: „Cóż za przepiękne miasto!" W ten sposób umysł obiektywny przetwarza wrażenia zmysłowe w logiczne wnioski.

Podświadomość natomiast określa się często mianem „umysłu subiektywnego". W odróżnieniu od świadomości nie jest ona jednak zdana na pośrednictwo zmysłów, ale postrzega świat bezpośrednio i bez refleksji – przez intuicję. Tutaj bowiem znajduje się siedlisko twoich uczuć i „magazyn" pamięci. Podświadomość spełni swoje najważniejsze zadania tylko wtedy, kiedy wyłączysz fizyczne zmysły. Chodzi tu więc o tę zdolność postrzegania, która objawia się w stanie utraty przytomności lub we śnie.

Twoja podświadomość widzi zatem oczyma duszy i obywa się bez narządów wzroku. Posiada też dar jasnowidzenia i jasnosłyszenia. Umysł subiektywny może opuścić ciało ludzkie, udać się w dalekie kraje i wrócić z niezwykle dokładnymi i całkowicie trafnymi informacjami. Z pomocą takich właśnie zdolności umysłowych potrafisz czytać w cudzych myślach, poznawać treść zapieczętowanych listów i zaglądać do zamkniętych sejfów. W ten sam sposób możesz przekazywać swoje myśli innym ludziom bez zwykłych sposobów porozumiewania się. Dopiero doskonałe poznanie wzajemnych relacji między umysłem subiektywnym a obiektywnym pozwoli nauczyć się prawdziwej modlitwy.

Podświadomość nie umie myśleć logicznie

Podświadomość nie jest w stanie rozważać żadnych za i przeciw. Jeśli więc zasugerujesz jej coś obiektywnie niesłusznego, weźmie tę sugestię za prawdę i prędzej czy później urzeczywistni ją jako sytuację życiową, doświadczenie albo przeżycie. Wszystkie twoje dotychczasowe przeżycia były reakcją podświadomości na myśli, w kórych słuszność wierzyłeś. Szkody powstałe przez błędne inspiracje usuniesz najskuteczniej, jeśli zaczniesz myśleć pozytywnie i jak najczęściej powtarzać harmonijne myśli, aż podświadomość wpoi je sobie głęboko. Ponieważ podświadomość jest zarazem ostoją twoich nawyków, taka zmiana nawyków życiowych i myślowych przyniesie wkrótce zasadniczą poprawę.

Twój nawykowy sposób myślenia pozostawia głębokie ślady w podświadomości. Okoliczność ta może mieć dla ciebie dobroczynne skutki, jeśli tylko twoje myśli krążyć będą wokół harmonijnych i konstruktywnych celów i pragnień.

Jeśli dotychczas żyłeś pod znakiem lęku, troski albo innych negatywnych myśli, zacznij teraz nowe życie, uznając wszechwładzę podświadomości i ucząc się wpajać jej beztroskę, szczęście i pełnię zdrowia. Twoja podświadomość – twórcza i zjednoczona z Bożą zasadą – zapewni niezwłoczne urzeczywistnienie tego zwrotu ku dobru, o którym ją z takim naciskiem przekonywałeś.

Potęga sugestii

Wiesz już, że twoja świadomość jest niejako „odźwiernym", którego główne zadanie polega na ochronie twojej podświadomości przed szkodliwymi wrażeniami. Znasz już jedno z podstawowych praw ludzkiego umysłu i wiesz, że na podświadomość można wpłynąć sugestią. Dowiedziałeś się także, że nie dokonuje ona porównań, nie rozpoznaje różnic ani też nie analizuje rzeczy w spójny i niezależny sposób. Wszystko to jest zadaniem twojej świadomości. Podświadomość więc reaguje po prostu na przekazywane jej przez świadomość wrażenia, sama nie będąc obciążona jakimikolwiek logicznymi wnioskami.

Klasycznym przykładem siły sugestii byłby następujący eksperyment. Wyobraźmy sobie, że podczas podróży po morzu mówisz do współpasażera, który i tak wygląda na zalęknionego: „Pan musi się źle czuć. Jaki pan blady! Zaraz na pewno zrobi się panu niedobrze. Odprowadzić pana na dół?" – Wtedy on niezawodnie zblednie, zasugerowana choroba morska skojarzy mu się bowiem z własnymi lękami i mrocznymi przeczuciami. Z wdzięcznością oprze się na twoim ramieniu, a w kabinie, już bez świadków, pofolguje wmówionym mu dolegliwościom.

Rozmaite reakcje na tę samą sugestię

Nader łatwo może zdarzyć się tak, że kilka osób różnie zareaguje na tę samą sugestię.

Załóżmy, że w podróży morskiej zrobisz wspomniany

eksperyment nie z pasażerem, ale z marynarzem. Zależnie od temperamentu albo weźmie on twoją ofertę pomocy za żart, albo ze złością ją odrzuci. Twoja propozycja bowiem trafi na niepodatnego na taką sugestię wilka morskiego, odpornego na morską chorobę. Dlatego też twoje słowa nie wzbudzą w nim strachu ani troski, ale będą jak groch rzucony o bardzo pewną siebie ścianę.

Leksykon definiuje "sugestię" jako świadomy duchowy wpływ i budzenie określonych wyobrażeń, które ktoś przyjmuje i urzeczywistnia jako prawdę. Trzeba tu wziąć pod uwagę, że świadome odrzucenie sugestii skutecznie chroni podświadomość przed niechcianym wpływem. Świadomość potrafi się zatem oprzeć narzucanej sugestii. Wspomniany wyżej marynarz nie bał się choroby morskiej. Był pewien swojej odporności, przez co negatywna sugestia nie wzbudziła w nim najmniejszych lęków. Za to u naszego zalęknionego pasażera sugestia choroby morskiej musiała zadziałać wskutek jego własnego strachu przed tą dolegliwością.

Każdy z nas ma też swoje wewnętrzne lęki. Każdy ma swoje poglądy i prawdy wiary, o których słuszności i prawdziwości jest przeświadczony i które przez to kierują jego życiem. Sugestia nie ma własnej mocy oprócz tej, jaką nada jej skwapliwa wiara człowieka. Kiedy jednak raz zadziała, kieruje strumień podświadomych sił bardzo określonymi, zawężonymi kanałami.

Jak stracił rękę

Co dwa albo trzy lata wygłaszam w Caxton Hall w Anglii cykle wykładów dla Truth Forum (Forum Prawdy). Instytucję tę założyłem przed wieloma laty. Ówczesna kierowniczka, dr Evelyn Fleet, opowiedziała mi o artykule w pewnej angielskiej gazecie, traktującym o sile sugestii. Pewien nieszczęśliwy ojciec miał ponoć przez ponad dwa lata sugerować swojej podświadomości: „Oddałbym prawą rękę, byle moja córka wyzdrowiała". Córka cierpiała na ciężki artretyzm, który wpędzał ją w kalectwo, i na rzekomo „nieuleczalną" chorobę skóry. Starania lekarzy szły na marne, dlatego jej ojciec w takich desperackich słowach wyrażał pragnienie, by córka wyzdrowiała. Podczas rodzinnej wycieczki samochodowej doszło do zderzenia z innym autem. Ojciec stracił w wypadku prawą rękę, i niemal jednocześnie znikł artretyzm i skórne dolegliwości córki.

Przykład ten dowodzi, jak ważne jest, aby wpajać podświadomości tylko sugestie pomyślne, kojące i dobroczynne, krótko mówiąc takie, które w każdym wypadku zawierają zmianę na lepsze. Pamiętaj: twoja podświadomość nie zna się na żartach – ona łapie cię za słowa!

Jak autosugestia płoszy lęk

Pod pojęciem autosugestii rozumiemy wpływanie na samego siebie poprzez bardzo określone, celowe myśli lub wyobrażenia. W znakomitym podręczniku autosugestii, wydanym w roku 1916 przez londyńskie wydawnictwo Fowlera, Herbert Parkyn opowiada zabawne i dzięki temu łatwe do zapamiętania zdarzenie: pewien nowojorczyk wybrał się do Chicago, ale zapomniał cofnąć tam zegarek o godzinę (wymaga tego różnica czasu). Jeden z kontrahentów zapytał go o dokładny czas; kiedy nasz nowojorczyk usłyszał, że minęła pora obiadu, opadł go nagle wilczy głód, choć od zwykłej pory posiłku dzieliła go jeszcze godzina.

Autosugestii użyć można bardzo skutecznie przeciw najróżniejszym stanom lękowym i innym negatywnym stanom emocjonalnym. Pewną młodą śpiewaczkę proszono o występ. Z jednej strony powitała tę propozycję z zadowoleniem, z drugiej zaś – już trzykrotnie w podobnych okolicznościach paraliżował ją strach. Choć wiedziała, że ma piękny głos, powtarzała sobie: „Jak ja się boję. Pewnie nikomu nie spodoba się mój śpiew."

Jej podświadomość rozumiała ową negatywną sugestię jako wezwanie i niezwłocznie wytwarzała odpowiednią sytuację. Chodziło tu więc o niezamierzoną autosugestię. Oznacza ona, że obawy, jakie żywimy w cichości ducha, przeradzają się w uczucia i stają się rzeczywistością.

Śpiewaczka przezwyciężyła strach w następujący sposób: chowała się w swoim pokoju, całkowicie odgradzając się od otoczenia. Następnie siadała w wygodnym fotelu, odprężała się i zamykała oczy. W ten sposób wprawiała ciało i umysł w stan spoczynku. Odprężenie ciała uspokaja bowiem także umysł, uwrażliwiając go na sugestię. W owym stanie rozluźnienia wbijała sobie do głowy: „Śpiewam porywająco. Jestem pełna spokoju, pogody i wiary w siebie." Powtarzała te stwierdzenia powoli, spokojnie i żarliwie pięć do dziesięciu razy. Te umysłowe praktyki odprawiała trzy razy dziennie, ostatni raz tuż przed pójściem spać. Po tygodniu zaczęła spoglądać w przyszłość ze spokojem i wiarą w siebie. A gdy zaśpiewała na próbie, wprawiła słuchaczy w zachwyt.

Jak odzyskała pamięć

Pewna 75-letnia pani wpadła w nawyk powtarzania sobie: „Tracę pamięć". Pewnego dnia postanowiła jednak, że będzie sugerować sobie parę razy dziennie coś wręcz przeciwnego i powiadała do siebie: „Od dzisiaj moja pamięć wyostrza się pod każdym względem. Zawsze i wszędzie zdołam sobie przypomnieć, co tylko zechcę. Wyraźniej i trwalej będę zapamiętywać wrażenia zmysłowe. Wszystko będzie mi się bardzo łatwo utrwalać w pamięci. Cokolwiek zapragnę sobie przypomnieć, ukaże mi się przed oczyma duszy niezwłocznie i w ostrych konturach. Dzień po dniu będę robić wyraźne postępy i niedługo będę miała pamięć lepszą niż kiedykolwiek." Po trzech tygodniach uszczęśliwiona spostrzegła, że w pełni odzyskała pamięć.

Jak pokonał własne nieopanowanie

Wielu mężczyzn, którzy wypowiedzieli wojnę własnej wybuchowości i pobudliwości, okazywało się wyjątkowo chłonnymi na sugestie i odnotowywało niezwykłe sukcesy, powtarzając trzy do czterech razy dziennie, czyli po wstaniu, przed południem, w południe i przed zaśnięciem, następujące wzory zdań: „Odtąd będę bardziej opanowany i w lepszym humorze. Mój umysł ogarnie radość i poczucie szczęścia. Z każdym dniem okazywać będę bliźnim większą wyrozumiałość i miłość. Moja życzliwość i dobry humor będą się udzielać całemu otoczeniu. Ten szczęśliwy i radosny nastrój stanie się dla mnie trwałym, normalnym stanem umysłu. Jestem za to głęboko wdzięczny."

Konstruktywna i niszczycielska moc sugestii

Przyjrzyjmy się teraz istocie i skutkom heterosugestii, czyli tej mocy sugerowania, która wychodzi od innych ludzi. We wszystkich epokach i we wszystkich krajach świata siła sugestii odgrywała – bądź pod postacią autosugestii, bądź heterosugestii – decydującą rolę w sposobie życia i myślenia ludzi. W różnych częściach świata do dziś stanowi ona najistotniejszy i najskuteczniejszy składnik wielu religii. Siły sugestii użyć można dla zapanowania nad samym sobą, można jednak przy jej pomocy narzucić władzę ludziom, którzy nie znają praw umysłu. Moc ta jest czymś wspaniałym, jeśli używa się jej do konstruktywnych celów. Jeśli jednak ktoś jej nadużyje do celów negatywnych, sugestia może stać się najbardziej zgubnym duchowym orężem, sprowadzając na ludzi nędzę, niepowodzenia, choroby i nieszczęścia.

Czy wierzysz w nieodwracalność losu?

Od dziecka większość z nas bombardowano zewsząd negatywnymi sugestiami. Nie umiejąc się przed nimi bronić, zaczęliśmy brać je za prawdę. Z pewnością nieraz słyszałeś takie zdania: „Nie dasz rady!”, „Z ciebie nic nie będzie!”, „Tego ci nie wolno!”, „Z tego nic nie wyjdzie!”, „Nie masz najmniejszych szans!”, „To do niczego niepodobne!”, „To nie ma sensu!”, „Nie musisz nic umieć, bylebyś miał układy!”, „Świat schodzi na psy!”, „Po co to wszystko, kogo ja obchodzę!”, „Nie warto się wysilać!”, „Życie to jedna wielka udręka!”, „Kto by tu jeszcze wierzył w miłość?”, „Nie ma mocnych!”, „Tylko patrzeć, jak pójdę z torbami!”, „Poczekaj, tobie też się to udzieli!”, „Nikomu nie można zaufać!”, i tak dalej.

Gdy jako dorosły zaniedbasz odrabiania poprzez pozytywną autosugestię szkód psychicznych poczynionych w przeszłości, twoje pesymistyczne nawyki myślowe najprawdopodobniej sprowokują u ciebie zachowanie, które z konieczności prowadzić będzie do osobistych i zawodowych rozczarowań. Autosugestia pozwala więc zrzucić ciężar tych negatywnych wpływów, które w przeciwnym razie postawiłyby pod znakiem zapytania twoją życiową pomyślność i rozwój pozytywnych nawyków.

Jak chronić się przed negatywną sugestią

W każdym choć trochę wrażliwym człowieku jeden rzut oka do gazety wzbudzi uczucie troski, lęku, rozpaczy i beznadziei. Ten zaś, kto pozwala wziąć górę ponurym myślom, może utracić chęć do życia. Dozna zatem wielkiej ulgi wiedząc, że pozytywna autosugestia stanowi skuteczną ochronę przeciwko wszelkim negatywnym wpływom.

Od czasu do czasu sprawdź, czy i jak twoje środowisko próbuje wywrzeć na ciebie negatywny wpływ. Wobec niszczycielskich sugestii zewnętrznych nie musisz być wcale bezbronny. Dostatecznie dużo ucierpieliśmy przez nie jako dzieci i ludzie dorośli. Przypomnij sobie chociażby te niepochlebne słowa wygłaszane przez twoją rodzinę, przyjaciół, nauczycieli i kolegów z pracy. Krytyczne przemyślenie tych uwag pokaże, że wiele z nich wypowiadano niesłusznie i tylko po to, by cię zastraszyć lub pognębić.

Heterosugestię stosuje się w każdej rodzinie, w każdym biurze, w każdej fabryce i w każdej organizacji. Przekonasz się, że często służy ona jedynie temu, by pokierować twoim myśleniem, odczuciami i działaniem po myśli innych i dla cudzej korzyści.

Jak sugestia zabiła człowieka

A oto przykład sugestii zewnętrznej: jeden z moich krewnych odwiedził w Indiach wróżkę, która wyjawiła mu, że jest chory na serce i przy najbliższym nowiu umrze. Krewny zawiadomił o tym całą rodzinę, uporządkował swoje sprawy i zrobił testament.

Sugestia ta owładnęła nim całkowicie, ponieważ w nią uwierzył. Opowiadał mi, że wróżka posiada podobno osobliwe zdolności okultystyczne, którymi potrafi pomagać albo szkodzić bliźnim. Jej przepowiednia spełniła się, a on nie wiedział, że sam sobie zadaje śmierć. Wielu z nas mogłoby na pewno z własnego doświadczenia opowiedzieć o podobnych przypadkach przesądów i ludzkiej głupoty.

Przyjrzyjmy się jeszcze raz przedstawionemu tu zdarzeniu w świetle naszej wiedzy o podświadomych procesach. Podświadomość przyjmie jako prawdę wszystko, w cokolwiek świadomie uwierzymy, i odpowiednio na to zareaguje. Zanim mój krewny odwiedził tamtą wróżkę, był człowiekiem szczęśliwym, tryskał zdrowiem i optymizmem. Jej przepowiednia natomiast przejęła go śmiertelnym strachem, i odtąd żył w przekonaniu, że przy najbliższym nowiu pożegna się z tym światem. Powiadomił o tym wszystkich i gotował się na śmierć.

Wszystko zaczęło się i skończyło w jego umyśle – myśli były wyłączną przyczyną tego, co nastąpiło. Przez swój strach i pewność rychłego odejścia sam był winien własnej śmierci albo, ściślej mówiąc, sam wyniszczył własne ciało.

Kobieta, która przepowiedziała mu śmierć, nie miała najmniejszego wpływu na jego los. Nie posiadała żadnej ziemskiej ani pozazmysłowej władzy, by móc sprowadzić na niego przepowiedziany koniec. Gdyby mój krewny znał prawa umysłu, zlekceważyłby całkowicie tę negatywną sugestię, nie przywiązując do słów wróżki najmniejszej wagi. Jak kamyk uderza w czołg, tak ta rzekoma wróżba natrafiłaby na niewzruszone przeświadczenie, że jego działaniem kierują tylko własne myśli i uczucia.

Cudze sugestie nie nabiorą żadnej mocy poza tą, jaką sam im nadasz osobistym przekonaniem. Sugestia z zewnątrz zaczyna działać dopiero za twoją sprawą, i tylko ty możesz pójść swoim przeciwnikom na rękę. Ty jeden, ty jedna masz władzę nad swoimi myślami i uczuciami. Pamiętaj: tylko ty decydujesz – wybierz więc życie, wybierz miłość, wybierz zdrowie!

Potęga logiki

Twój umysł podlega prawu logiki. Kiedy więc twoja świadomość uzna jakieś założenie za trafne, wtedy i podświadomość nieuchronnie weźmie je za prawdę, osąd obiektywnego umysłu bowiem zapewni twój subiektywny umysł o słuszności danej myśli. Ta zależność przyczyny i skutku odpowiada całkowicie budowie klasycznego sylogizmu, czyli złożonego z trzech osądów wnioskowania z ogółu o szczególe:

Każda cnota jest chwalebna.
Dobroć jest cnotą.
Dlatego dobroć jest chwalebna.

Albo inny przykład:

Wszelkie rzeczy stworzone przemijają.
Piramidy egipskie są rzeczą stworzoną.
Dlatego nawet piramidy przemijają.

Pierwszy z osądów, poprzednik, określa się mianem warunku logicznego albo przesłanki, zgodnie zaś z prawem logiki ze słusznego założenia wyciągnąć można tylko słuszny wniosek.

Po jednym z moich wykładów o prawach życia umysłowego, które wygłaszałem w maju 1962 roku w nowojorskim ratuszu, pewien profesor uniwersytetu powiedział mi: „Nic mi się w życiu nie układa. Straciłem zdrowie, majątek i przyjaciół. Wszystko rozłazi mi się w rękach."

Poradziłem mu, żeby w świadomym myśleniu uporczywie trzymał się przesłanki, że bezgraniczna mądrość własnej podświadomości przywiedzie go do zdrowia, dobrobytu i szczęścia. Zapewniałem go, że takie przeświadczenie samo pokieruje jego osobistymi i zawodowymi decyzjami, przywróci mu zdrowie i pomoże odnaleźć spokój ducha i szczęście.

Zgodnie z moją radą profesor ujął swoje wyobrażenie idealnego życia w następujące słowa:

„We wszystkim kieruje mną nieskończona mądrość. Cieszę się pełnią zdrowia, a w moim ciele i duchu działa prawo harmonii. Piękno, miłość, spokój i dostatek są na zawsze moim udziałem. Całym moim życiem rządzą zasady słusznego postępowania i Boży ład. Wiem, że to założenie zasadza się na wiecznych prawach życia, wiem, czuję i wierzę, że moja podświadomość urzeczywistni moje świadome myślenie wiernie aż po najdrobniejsze szczegóły."

Wkrótce potem napisał do mnie w liście: „Powtarzałem sobie te słowa parę razy dziennie powoli, spokojnie i z naciskiem, czując, że zapadają one w moją podświadomość i że na pewno zaowocują. Z całego serca dziękuję Panu za rozmowę i zapewniam Pana, że odtąd moje życie pod każdym względem zmieniło się na lepsze. Pańskie „prawa umysłu" są prawdziwe i skuteczne!"

Podświadomość nie miewa zastrzeżeń logicznych

Podświadomość jest nieskończenie mądra i zna odpowiedź na każde pytanie. Nigdy jednak nie miewa zastrzeżeń natury logicznej i nie wdaje się z tobą w dyskusje. Nie zaoponuje: „Proszę mi nie wmawiać takich wyobrażeń!" Jeśli więc oddajesz się myślom w rodzaju: „Tego nie potrafię!", „Na to jestem za stara!", „Takim zobowiązaniom nie podołam!", „Urodziłem się pod złą gwiazdą!", „Nie mam odpowiednich dojść!" i tak dalej, karmisz podświadomość negatywnymi myślami. Takim sposobem myślenia sam stawiasz szczęściu przeszkody nie do przebycia i sam wprowadzasz we własne życie ograniczenia i rozczarowania.

Kiedy twoja świadomość zacznie piętrzyć przed tobą nieprzekraczalne rzekomo bariery, sam siebie pozbawisz pomocy, jaką dałaby ci przenikliwa i mądra podświadomość. W rzeczywistości bowiem taka postawa oznacza, iż uważasz swój subiektywny umysł za niezdolny do znalezienia wyjścia z sytuacji. To zaś powoduje pomyłki umysłu i emocjonalne kompleksy, które z kolei wywołać mogą choroby i skłonności nerwicowe.

A zatem, by przezwyciężyć w sobie czarnowidztwo i urzeczywistnić pragnienia, powtarzaj kilka razy dziennie z całym przekonaniem: „Nieskończona mądrość, która zbudziła w moim sercu to pragnienie, kieruje mną przez cały czas i wskaże mi najlepszą drogę do spełnienia moich życzeń. Wiem, że ta głębsza wiedza mojej podświadomości przebije się i urzeczywistni wszystkie moje uczucia, myśli i wyobrażenia. We mnie i wokół mnie panuje harmonia, równowaga i spokój ducha."

Kiedy powiesz: „Nie ma wyjścia, jestem zgubiony; nie znajduję rozwiązania, zostałem na lodzie!", nie spodziewaj się pomocy podświadomości ani jej pozytywnej reakcji. Jeśli chcesz wykorzystać jej ogromną moc do własnych celów, musisz odpowiednio do niej przemówić. Przecież i tak pracuje dla ciebie. Nawet teraz kontroluje twój oddech i bicie serca. To ona leczy każdą ranę i kieruje energią życiową, to ona stara się chronić cię w każdej chwili. Twoja podświadomość ma co prawda własną wolę, jednak posłusznie kieruje się twoimi myślami i wyobrażeniami.

Choć podświadomość reaguje niezwłocznie na twoje wysiłki, by znaleźć odpowiednie rozwiązanie, to jednocześnie oczekuje od świadomości właściwej oceny sytuacji i właściwej decyzji. Musisz pamiętać, że prawdziwy odzew wychodzi od podświadomości. Kiedy jednak powiesz sobie: „Jestem w sytuacji bez wyjścia, głowa mi już wysiada; dlaczego podświadomość nie podsunie mi rozwiązania?", uniemożliwiasz podświadomości działanie. Zaczynasz gonić w piętkę.

Uspokój zatem rozbiegane desperacko myśli, odpręż się i z ufnością powiedz: „Moja podświadomość zna rozwiązanie. Zaraz zareaguje na moje wezwanie. Z całego serca dziękuję za to, że jej bezgraniczna mądrość poddaje mi najlepsze rozwiązanie. Moje niewzruszone przekonanie wyzwala nieskończenie skuteczną moc mojej podświadomości. Cieszę się i dziękuję!"

STRESZCZENIE

1. Myśl o rzeczach dobrych, a staną się rzeczywistością! Nie myśl o rzeczach złych, by to nie one się wydarzyły. W każdej sekundzie życia jesteś tym i robisz to, o czym myślisz.

2. Twoja podświadomość nigdy nie zgłasza zastrzeżeń. Przyjmuje to, co postanowi twoja świadomość. Nie mów: „Nie stać mnie na to", choćby to w danej chwili była prawda. Wybierz myśl pozytywną: „Ta rzecz będzie moja! Wiem, że tak będzie!"

3. Masz wolny wybór. Wybierz pomyślność i zdrowie. Od ciebie zależy, czy będziesz życzliwy, czy nie. Bądź uczynny, pogodny, życzliwy, ujmujący, a cały świat stanie się taki dla ciebie.

4. Twoja świadomość jest „odźwiernym". Jej główne zadanie polega na ochronie podświadomości przed szkod-

liwymi odczuciami. Uwierz, że dobro może się wydarzyć, że właśnie się dzieje. Twoja największa siła polega na swobodzie wyboru. Wybierz pomyślność i dostatek!

5. Cudze sugestie i podszepty nie mogą ci zaszkodzić, tylko twoje myśli bowiem mają nad tobą władzę. Wystarczy, żebyś odrzucił cudze sugestie i poglądy, skupiając swoje myśli jedynie na rzeczach pozytywnych. Tylko ty decydujesz o jakości swojej reakcji.

6. Waż starannie słowa, każda bowiem nieprzemyślana sylaba zemści się na tobie. Nigdy nie mów: „To nie wypali!", „Stracę posadę!", „Nie mam na zapłacenie czynszu!" Twoja podświadomość nie zna się na żartach. Urzeczywistnia każdą myśl.

7. Twój umysł nie jest ani dobry, ani zły. Żadna siła w naturze nie jest zła. Od ciebie zależy, jak wykorzystasz moce natury. Używaj umysłu po to, by wspomagać bliźnich dobrym słowem, życzliwością i budzić w nich zachwyt dobrem.

8. Nigdy nie mów: „Nie potrafię!" Pokonuj lęk następującym stwierdzeniem: „Dzięki bezgranicznej mocy podświadomości nie ma dla mnie rzeczy niemożliwych!"

9. Kieruj się w myśleniu wiecznymi prawdami i zasadami życia i nie daj się otumanić lękom, niewiedzy i przesądom! Nie pozwól, by ci dyktowano twoje myśli! Myśl i decyduj samodzielnie!

10. Jesteś niepodzielnym panem swojej duszy, czyli – jakkolwiek by ją zwać – podświadomości oraz własnego losu. Pamiętaj zawsze, że masz wolny wybór. Wybierz życie, wybierz miłość, wybierz zdrowie! Postaw na szczęście!

11. Podświadomość przyjmie za prawdę i urzeczywistni wszystko, w cokolwiek świadomość niewzruszenie uwierzy. Uwierz w swoją dobrą gwiazdę, w Bożą inspirację, w słuszność swojej decyzji i we wszystkie dobrodziejstwa życia!

Rozdział 3

Niezwykła moc twojej podświadomości

Twoja podświadomość rozporządza nieograniczoną siłą. To ona cię inspiruje, prowadzi i przywraca twojej świadomości wszystkie przechowywane w zakamarkach pamięci nazwiska, fakty i sceny. Ona steruje biciem serca, krążeniem krwi, całym procesem trawienia i wydalania. Kiedy jesz kromkę chleba, podświadomość przeobraża ją w tkankę organiczną, mięśnie, kości i krew. Prawdziwa tajemnica tego procesu wymyka się obserwacji nawet najwnikliwszych i najmądrzejszych ludzi. Podświadomość kontroluje wszelkie procesy i funkcje życiowe organizmu i zna rozwiązanie wszelkich problemów.

Twoja podświadomość nie ma chwili wytchnienia. Zawsze stoi na posterunku. O jej niezwykłej sile możesz przekonać się sam, stawiając jej tuż przed zaśnięciem konkretne zadanie. Z radością odkryjesz, że ów akt woli wyzwala wewnętrzne siły, które powodują pożądany rezultat. Tutaj więc leży źródło wszelkiej siły i mądrości; tu znajdziesz dostęp do Wszechmocy, która porusza światem, wytycza tory planet i rozpala słońce.

Podświadomość jest źródłem wszystkich twoich ideałów, dążeń i bezinteresownych postanowień. Okiem tego subiektywnego umysłu Szekspir poznał wielkie prawdy, w jego czasach niedostępne zwykłym zjadaczom chleba. I niewątpliwie to reakcja podświadomości natchnęła greckiego rzeźbiarza Fidiasza, by w marmurze i brązie wykuć swoje wyobrażenia piękna, ładu, harmonii i proporcji. Ta sama siła uskrzydlała Rafaela, kiedy malował swoje Madonny, i natchnęła Beethovena do napisania dziewięciu symfonii.

Gdy w 1955 roku wygłaszałem cykl wykładów na uniwersytecie Yoga Forest w Rishikesh (Indie), miałem okazję porozmawiać z pewnym chirurgiem z Bombaju. Opowiadał mi o szkockim chirurgu dr. Jamesie Esdaille'u, który praktykował w Bengalu, zanim jeszcze odkryto eter czy inne nowoczesne metody narkozy. Między rokiem 1843 a 1846 doktor Esdaille przeprowadził około czterystu skomplikowanych zabiegów, między innymi amputacji, operacji nowotworów oraz operacyjnych zabiegów oczu, uszu i krtani. Wszystkie te zabiegi wykonywano jedynie pod umysłową narkozą. Hinduski lekarz z Rishikesh opowiadał, że dwu-trzyprocentową umieralność pooperacyjną leczonych przez dr. Esdaille'a pacjentów uznać trzeba za niezwykle niską. Zabiegi te były całkowicie bezbolesne i żaden pacjent nie umarł na stole operacyjnym.

Dr Esdaille wprawiał powierzonych mu pacjentów w stan hipnozy i sugerował ich podświadomości, że nie wda się żadna infekcja ani zakażenie krwi. Jest to tym ciekawsze, że dr Esdaille działał na długo przedtem, zanim Louis Pasteur, Joseph Lister i inni badacze wskazali na bakteryjne przyczyny wielu chorób, winę za liczne niebezpieczne infekcje przypisując niedostatecznej sterylizacji narzędzi i sal operacyjnych.

Ów hinduski chirurg tłumaczył niską umieralność i minimalną ilość infekcji wyłącznie sugestywnością hipnotycznego leczenia doktora Esdaille'a. Organizm pacjenta reagował zgodnie z sugestiami, jakie wpajano jego podświadomości.

Jakże się cieszyłem słysząc, że już ponad 120 lat temu pewien chirurg odkrył niezwykłe moce podświadomości. Czy i ty nie odczuwasz bojaźni, a zarazem szczęścia na myśl o nadprzyrodzonych siłach twojego subiektywnego umysłu? Przypomnij sobie tylko jego zdolność postrzegania pozazmysłowego, na przykład jasnowidzenia albo jasnosłyszenia, jego niezależność od czasu i przestrzeni, jego zdolność wyzwalania od wszelkiego bólu i cierpienia, umiejętność rozwiązania każdego problemu. Ten i wiele innych faktów odsłoni ci istnienie takiej psychicznej siły i mądrości, która dalece przewyższa najbardziej nawet rozwinięte siły rozumu. Nieograniczone moce tych sił i ogrom cudów, jakie te siły sprawiają, muszą poruszyć każdego, każąc uwierzyć mu w moc podświadomości.

Twoja podświadomość to księga twojego życia

Wszelkie myśli, przekonania, poglądy, teorie albo dogmaty, jakie wpoisz głęboko i trwale własnej podświadomości, urzeczywistnią się w twoim życiu jako konkretne sytuacje, stany lub wydarzenia. Każde psychiczne wrażenie wcześniej czy później zmieni się w realne wyrażenie. Twoje życie ma dwie strony: świadomą i podświadomą, widzialną i niewidzialną, świat myśli i ich materialnych przejawów.

Każdą twoją myśl wchłania mózg, będący przecież organem świadomego umysłu. Przyjąwszy myśl, twój obiektywny, czyli świadomy umysł przekazuje ją do splotu słonecznego, który określamy mianem „mózgu podświadomości". To tam twoje myśli i wyobrażenia zaczynają działać, objawiając się w twoich przeżyciach.

Jak już obszernie objaśniliśmy, twoja podświadomość nie potrafi czynić zastrzeżeń logicznych. Bez wahania wykonuje to, co jej każesz, a osądy i wnioski twojej świadomości przyjmuje za fakty. Każda myśl zatem zapisuje się w księdze twojego widzialnego życia. Słynny amerykański pisarz i filozof Ralph Waldo Emerson powiedział kiedyś: „Człowiek jest tym, o czym cały dzień myśli".

Każde wrażenie psychiczne przybiera postać materialną

Ojciec psychologii amerykańskiej William James powiedział kiedyś, że podświadomość kryje siły, które trzęsą światem. Twoja podświadomość stanowi jedno z nieskończoną wiedzą i mądrością. Jej niewyczerpane siły wypływają z ukrytego źródła, jakim jest prawo życia. Podświadomość poruszy niebo i ziemię, byle urzeczywistnić każdą myśl, jaką jej wpoisz. Dlatego należy bardzo dbać o dobre i konstruktywne myśli.

Przyczyna wszelkiego nieładu i cierpienia tkwi po prostu w ludzkim niezrozumieniu wzajemnych relacji między świadomością a podświadomością. Dopóki obie te zasady współdziałają harmonijnie i zgodnie w czasie, efektem jest zdrowie, pomyślność, spokój i radość. Wobec jednoczącej mocy obu tych sfer ducha nie ostaną się kłótnie ani choroby.

Z wielkim napięciem otwierano grób Hermesa, sądząc, że zawiera największą tajemnicę wszechczasów. Tajemnica ta zaś brzmiała: „*Co wewnątrz, to na zewnątrz; co na górze, to na dole*".

Znaczy to tyle, że każde podświadome wyobrażenie ukazuje się na ekranie czasu i przestrzeni. Także Mojżesz, Izajasz, Jezus, Budda, Zaratustra, Lao-Tse i inni oświeceni prorocy różnych epok głosili taką samą prawdę. Cokolwiek podświadomie odbierzesz jako prawdę, przybierze trwałą postać sytuacji zewnętrznej, stanu albo wydarzenia. Ruchy psychiczne i fizyczne warunkują się wzajemnie i tworzą własną równowagę. Jako w niebie (w twoim umyśle), tak i na ziemi (w twoim ciele i otoczeniu) – oto wielkie prawo życia.

Prawo akcji i reakcji, ruchu i spoczynku obowiązuje w całej przyrodzie. Harmonia zapanuje dopiero wtedy, kiedy zrównoważą się dwie przeciwstawne siły. Niech na tej zasadzie, harmonijnie i rytmicznie, przepływa przez ciebie życie. Jednakowe powinny być dopływy i wypływy. Wrażenie i wyrażenie muszą sobie odpowiadać. Uczucie rozczarowania jest tylko skutkiem niespełnienia pragnień.

Złe i destrukcyjne myśli wywołują negatywne uczucia, które z kolei domagają się wyrażenia i urzeczywistnienia. Zgodnie ze swoją negatywną naturą często przybierają postać wrzodów żołądka, dolegliwości serca i nerwowych stanów lękowych. Co myślisz teraz o sobie i jak odbierasz siebie w tej chwili? Za kogo się uważasz? Każda część twojej istoty i bytu odzwierciedla wiernie twoje wyobrażenie o sobie. Twoja żywotność, ciało, sytuacja finansowa, przyjaciele i pozycja społeczna odzwierciedlają twoją samoocenę aż po najdrobniejsze szczegóły. Działa tu bowiem wielokrotnie już wspomniane podstawowe prawo: cokolwiek wpoisz podświadomości, znajdzie to wyraz we wszystkich fazach twojego życia.

Każda negatywna myśl przyniesie niekorzystne skutki. Jakże często sam siebie raniłeś gniewem, strachem, zazdrością i żądzą zemsty? Te groźne trucizny zarażają twoją podświadomość. Jako noworodek byłeś wolny od wszystkich negatywnych postaw. Pozwól, by do twojej podświadomości napływały życiodajne myśli, a zmażą one bez śladu wszelkie negatywne nawyki myślowe i wyobrażenia z przeszłości.

Podświadomość leczy złośliwą chorobę skóry

Najbardziej chyba przekonywających dowodów na niezwykłą siłę podświadomości dostarcza uzdrowienie przeżyte – w dosłownym znaczeniu – na własnej skórze. Przeszło czterdzieści lat temu własną modlitwą uwolniłem się od złośliwej choroby skóry. Medycyna nie umiała zahamować jej rozwoju i choroba stawała się z każdym dniem groźniejsza.

Pewien duchowny, mający sporą wiedzę z dziedziny psychologii, wyjaśnił mi wtedy głębsze znaczenie psalmu 139., który mówi: „*Mój zarodek oczy Twoje widziały i w księdze Twojej były zapisane wszystkie dni, które będą, zanim pierwszy z nich nastał*". Ksiądz wytłumaczył mi, że określenie „księga" oznacza podświadomość, która kształtuje wszystkie narządy z czysto duchowego zarodka. To zaś, co podświadomość stworzy zgodnie z wpojonym jej wzorem, może wedle tegoż wzoru odtworzyć i uleczyć.

Po czym ksiądz wskazał swój zegarek i powiedział: „Ten zegarek też został stworzony; zanim jednak przybrał materialną postać, zegarmistrz musiał wyrobić sobie o nim w umyśle dokładne wyobrażenie. Ten zaś, kto wymyśli i stworzy zegarek, potrafi go naprawić lepiej niż ktokolwiek inny." Następnie uprzytomnił mi, że podświadomość, która stworzyła moje ciało, można porównać z tym zegarmistrzem, bowiem i ona potrafi przywrócić i uleczyć wszelkie żywotne procesy i funkcje. W tym celu wystarczy wpoić twórczemu umysłowi subiektywnemu wyobrażenie pełnego zdrowia, a sama skuteczność takich myśli spowoduje pożądane uzdrowienie.

Sformułowałem więc następującą prostą modlitwę: „Moje ciało stworzyła w bezgranicznej mądrości moja podświadomość, ona też potrafi mnie uleczyć. To jej mądrość kształtowała wszystkie moje narządy, tkanki, mięśnie i kości. Ta sama nieskończona i zbawienna siła w moim wnętrzu przemienia teraz każdy atom mojego organizmu i szybko przywraca mi zdrowie. Jestem głęboko wdzięczny, ponieważ wiem, że zaczynam zdrowieć. Wspaniałe są dzieła ukrytej we mnie twórczej mądrości!"

Tę krótką modlitwę odmawiałem dwa albo trzy razy dziennie. Po trzech miesiącach choroba skóry znikła.

Jak widzisz, swojej podświadomości podrzucałem jedynie życiodajne wizje wyzdrowienia, piękna i doskonałości, chcąc tym samym wymazać negatywne wyobrażenia i nawyki myślowe, które wryły mi się w podświadomość i stały się prawdziwym źródłem całego zła. Nie istnieje zjawisko fizjologiczne, które nie byłoby najpierw wyobrażeniem w umyśle. Karmiąc nieustannie umysł pozytywnymi myślami, przeobrażasz jednocześnie ciało. To i tylko to jest przyczyną wszelkich uzdrowień... „*Cudowne są Twoje dzieła, a dusza moja wie to dobrze*" (Ps 139,14).

Podświadomość steruje wszystkimi procesami fizjologicznymi

Czy czuwasz, czy głęboko śpisz, twoja niestrudzona podświadomość nieprzerwanie i niezależnie od świadomości steruje wszystkimi żywotnymi funkcjami organizmu. I tak nawet we śnie nie przestaje ci rytmicznie bić serce, płuca zaś dostarczają świeży tlen do krwi. Podświadomość kontroluje proces trawienia i wydzieliny gruczołów oraz wszystkie inne tajemnicze procesy w twoim ciele. Czy śpisz, czy czuwasz, rośnie ci zarost. Naukowcy stwierdzili, że w czasie snu skóra wydziela znacznie więcej potu niż na jawie. Twój wzrok, słuch i inne zmysły także podczas snu trwają w pogotowiu. Wielu zaś spośród największych uczonych właśnie we śnie znajdowało rozwiązanie zawiłych problemów.

Twoja świadomość troską, strachem, zwątpieniem i przygnębieniem zakłóca często pracę serca i płuc i normalne funkcjonowanie przewodu pokarmowego. Tego rodzaju negatywne wyobrażenia zaburzają bowiem harmonię twojej podświadomości. Gdy zatem jesteś wzburzony, zrzuć z siebie wszelkie obciążenia, odpręż się i skieruj myśli na spokojne tory. Przemów do podświadomości i powiedz jej, żeby odtworzyła zgodną z Bożym zamysłem harmonię, równowagę i porządek. Stwierdzisz wtedy, że funkcje fizjologiczne wracają do normy. Rzecz jasna, podświadomość posłucha cię tylko wtedy, gdy przemówisz do niej z przekonaniem i pewnością siebie.

Twoja podświadomość dokłada wszelkich starań, żeby chronić twoje życie i przywracać ci zdrowie. Jej instynktowny wysiłek obrony wszystkiego, co żyje, wyraża się między innymi twoją miłością do własnych dzieci. A kiedy zjesz zepsutą żywność, podświadomość od razu skłoni organizm, żeby zwrócił niejadalną rzecz. Gdybyś przez pomyłkę zażył truciznę, podświadome siły od razu spróbują ją zneutralizować. Zaufaj bez reszty niezwykłej sile podświadomości, a wkrótce cieszyć się będziesz pełnią zdrowia.

Jak możesz spożytkować moce podświadomości

Przypomnimy sobie raz jeszcze, że podświadomość działa bez przerwy dzień i noc niezależnie od jakichkolwiek świadomych wpływów. Rozwija ona i utrzymuje przy życiu twoje ciało, choć tego bezgłośnego procesu nie możesz dostrzec. Nie ma zresztą takiej potrzeby – świadomie bowiem obcujesz ze świadomością, nie zaś z podświadomością. Najpierw więc musisz przekonać świadomość, że los obdarzy cię wszystkim, co najlepsze, bylebyś tylko skierował myśli ku dobru, pięknu, szlachetności, prawdzie i sprawiedliwości. Oprzyj świadome myślenie wyłącznie na pozytywnej podstawie, wierząc mocno, że twoja podświadomość zajmuje się nieustannym wyrażaniem i urzeczywistnianiem twoich myśli.

Tak jak rura nadaje kształt płynącej przez nią strudze wody, tak i twój sposób myślenia nadaje życiu kierunek i sens. Dlatego z całym przekonaniem powiedz sobie: „Bezgraniczna moc uzdrowicielska mojej podświadomości przepływa przeze mnie całego; przejawia się harmonią, zdrowiem, spokojem, radością i materialnym dostatkiem!" Uznaj własną podświadomość za mądrego i drogiego towarzysza życia, który pójdzie z tobą wszędzie. Uwierz, że to jej siły ożywiają cię, oświecają i obsypują dobrodziejstwami – a wtedy ci ich użyczy. Bo przecież: *każdemu dzieje się wedle wiary jego.*

Jak uzdrowicielska siła podświadomości odwróciła zanik nerwów wzrokowych

Archiwum medyczne Urzędu Zdrowia w Lourdes opowiada o starannie badanym i głośnym w kręgach fachowych przypadku madame Bire, która cierpiała na całkowitą atrofię (zanik) nerwów wzrokowych. Wyruszyła z pielgrzymką do Lourdes, gdzie – wedle jej relacji – nastąpiło cudowne uzdrowienie. Magazyn McCalla wysłał młodą protestantkę Ruth Cranson, aby w słynnym mieście na południu Francji zbadała szczegóły tego przedziwnego wydarzenia. W listopadzie 1955 roku opisała ten przypadek następująco: „To nie do wiary, ale w Lourdes madame Bire odzyskała wzrok, choć – co zaświadczyło kilku lekarzy po wielokrotnych badaniach – nerwy wzrokowe w dalszym ciągu były całkowicie martwe. Kiedy po miesiącu ponownie ją zbadano, okazało się, że nerwy się odrodziły. Z początku jednak w świetle wiedzy medycznej madame Bire widziała rzeczywiście „martwymi oczyma".

Ja również wielokrotnie bywałem w Lourdes, obserwując kilka podobnych uzdrowień. W następnym rozdziale przekonamy się, że niepodobna wątpić w prawdziwość takich zdarzeń w wielu chrześcijańskich i niechrześcijańskich miejscach pielgrzymek na całym świecie.

Tego uzdrowienia nie da się w żaden sposób wytłumaczyć działaniem świętej wody, ale raczej wynikłą z mocnej wiary reakcją podświadomości, której uzdrowieńcza siła zadziałała zgodnie z myślami madame Bire. Wiara to nic innego jak pewna myśl albo stan, który świadomość – a tym samym i podświadomość – uznaje za prawdę. To zaś mocne przekonanie wkrótce samo się urzeczywistnia. Bez wątpienia madame Bire wyruszała w pielgrzymkę z radosną nadzieją uzdrowienia. Jej podświadomość zareagowała odpowiednio do jej oczekiwań i użyła swoich uzdrowieńczych mocy; subiektywny umysł bowiem, który stworzył oczy, potrafi też uleczyć obumarłe nerwy wzrokowe. Zasada twórcza, raz coś stworzywszy, może to stworzyć od nowa. *Każdemu dzieje się wedle wiary jego.*

Jak przekazywać podświadomości wyobrażenie pełnego zdrowia

Znajomy pastor z Johannesburga wyjawił mi kiedyś sposób, w jaki przekazywał podświadomości wyobrażenie pełnego zdrowia. Cierpiał na raka płuc. Poniższe słowa to dosłowny cytat z jego odręcznych zapisków:

„Kilka razy dziennie starałem się całkowicie odprężyć umysł i ciało. Najpierw przemawiałem do ciała w te słowa: stopy mam rozluźnione, kostki rozluźnione, nogi rozluźnione, mięśnie brzucha rozluźnione, serce i płuca rozluźnione, głowę rozluźnioną, cały jestem rozluźniony. — Po jakichś pięciu minutach zapadałem zwykle w rodzaj półsnu, po czym roztaczałem przed sobą taką wizję: Oto w moim ciele wyraża się doskonałość Boga. Moją podświadomość wypełnia teraz wyobrażenie pełnego zdrowia. Bóg stworzył mnie na obraz własnej doskonałości, a teraz podświadomość stwarza moje ciało na nowo – zgodnie z doskonałym zamysłem Boga."

Tym jakże prostym sposobem pastor zdołał wpoić swojej podświadomości wyobrażenie pełnego zdrowia i doprowadzić do zdumiewającego uzdrowienia.

Wyobrażenie pełnego zdrowia można też bardzo skutecznie przekazać podświadomości poprzez naukowe, czyli celowe wykorzystanie wyobraźni. I tak, na przykład, pewnemu panu, cierpiącemu na funkcjonalny paraliż, poradziłem, by jak najplastyczniej wyobrażał sobie, że chodzi po swoim gabinecie, siada przy biurku, podnosi słuchawkę, słowem – robi wszystko, co robił, gdy był całkiem zdrów. Wyjaśniłem mu, że myśl o pełnym zdrowiu i związane z nią wyobrażenia wryją mu się w podświadomość i zostaną przyjęte za fakt.

Wczuł się w tę rolę, duchem przenosząc się do biura. W ten sposób zupełnie świadomie stworzył podstawę jednoznacznej reakcji dla własnej podświadomości. Użył tej ostatniej jak filmu, który naświetlał żądanym obrazem. Po tygodniach wytężonego treningu umysłowego i usilnego wpajania podświadomości żądanych wyobrażeń nadeszła pora, by sprawdzić skuteczność takiego leczenia. Zgodnie z umową żona i pielęgniarka zostawiły go samego. Po chwili zadzwonił telefon. Mimo, iż aparat znajdował się o cztery metry od jego wózka inwalidzkiego, chory zdołał wstać i odebrać telefon. Wyzdrowiał – uleczyła go własna podświadomość, reagując na wyobrażenia w umyśle.

W tym wypadku chodziło o blokadę ośrodka ruchowego. Chory mówił, że nie może chodzić, ponieważ bodźce ruchowe wysyłane z mózgu nie docierają do nóg. Kiedy jednak skierował myśli na ukryte w nim uzdrowicielskie moce, spowodowały one pożądaną reakcję przywracając mu zdolność ruchu. „*A o cokolwiek będziecie prosić w modlitwie, wierząc – otrzymacie*" (Mt 21,22).

STRESZCZENIE

1. Twoja podświadomość steruje wszystkimi żywotnymi procesami w organizmie i zna odpowiedź na wszystkie pytania.

2. Przed zaśnięciem wydaj podświadomości jakiś rozkaz, a przekonasz się o jej niezwykłej mocy!

3. Cokolwiek wpoisz podświadomości, pojawi się to na ekranie czasu i przestrzeni jako sytuacja zewnętrzna, stan albo wydarzenie. Dlatego musisz starannie sprawdzać, czy twoje myśli i wyobrażenia mają pozytywną czy negatywną treść.

4. Powszechnym prawem jest współzależność akcji i reakcji. Działaniem są twoje myśli, reakcją zaś samoczynny odzew podświadomości na daną myśl. Strzeż się zatem myśli negatywnych!

5. Rozczarowanie to nic innego jak skutek niezaspokojonej tęsknoty. Jeśli twoje myśli będą stale krążyć wokół jakiegoś problemu, podświadomość zareaguje odpowiednio do tego. W ten sposób tylko zniszczysz własne szczęście.

6. Jeśli chcesz, by przez całą twoją istotę harmonijnie i rytmicznie przepływała zasada życia, powiedz sobie z całym przekonaniem: „Wierzę mocno, że nieświadoma moc, która podszepnęła mi to pragnienie, już je przeze mnie urzeczywistnia”. To zaklęcie pokona wszelkie kłopoty.

7. Poprzez zmartwienia i lęki możesz zakłócić rytm serca, płuc i innych narządów. Wypełnij podświadomość harmonijnymi, zdrowymi i uspokajającymi myślami, a wszystkie funkcje twojego organizmu szybko się unormują!

8. Naucz świadomość dostrzegać w tobie wybrańca losu, a podświadomość wiernie urzeczywistni to wyobrażenie!

9. Stwórz w wyobraźni żywy obraz pożądanego sukcesu i ciesz się nim z całego serca; podświadomość bowiem przyjmie to za fakt i urzeczywistni twoje uczucia i wyobrażenia.

Rozdział 4

Duchowe uzdrowienia w starożytności

Zawsze i wszędzie ludzie wierzyli w istnienie uzdrowicielskiej mocy, która w ten czy inny sposób potrafi przywracać dobre samopoczucie i sprawność organizmu. Byli przekonani, że ową tajemniczą siłę można wezwać, by uśmierzyła ludzkie cierpienia. Poglądy takie zaobserwować można w historii wszystkich ludów.

W zaraniu cywilizacji moc uzdrawiania ludzi lub wywierania na nich dobrego albo złego wpływu przypisywano kapłanom i świętym, którzy powoływali się na moc nadaną im rzekomo przez bogów. Z biegiem czasu w różnych częściach świata rozwinęły się najrozmaitsze obrzędy uzdrowicielskie mające przywołać bóstwa; towarzyszyły im określone ceremonie lub śpiewy. Wykorzystywano też w tym celu talizmany, amulety, pierścienie, relikwie i podobizny bogów.

Kapłani różnych religii starożytnych zwykli sugerować pacjentowi, będącemu pod wpływem narkotyków lub hipnozy, że we śnie nawiedzą go bogowie, by przynieść mu uzdrowienie. Ta forma leczenia dawała często pożądany skutek; chodziło tu najwyraźniej o działanie na podświadomość.

I tak czciciele bogini Hekate musieli – w okresie kiedy przybywa księżyca – napełnić moździerz jaszczurkami, kadzidłem i mirrą, po czym rozgnieść to wszystko na miazgę. Wtedy miała ukazywać im się we śnie. Jakkolwiek groteskowy wydałby się nam dziś ten proceder, relacje współczesnych przypisują mu wiele skutecznych uzdrowień.

Rzecz jasna, takie dziwaczne procedury silnie pobudzały wyobraźnię, uwrażliwiając podświadomość na przekazywaną sugestię. Za każdym razem prawdziwa moc uzdrowicielska wypływała oczywiście z podświadomości. We wszystkich epokach niewykształceni medycznie uzdrowiciele osiągali ciekawe wyniki nawet wtedy, kiedy zawodziła wiedza medyczna. To powinno nam dać do myślenia. Jakimi kuracjami leczyli ci „cudotwórcy" w różnych zakątkach świata? Po prostu budzili oni w pacjentach ślepą wiarę, która z kolei przywoływała uzdrowicielskie siły podświadomości. Stosowane przy tym sposoby bywały tak osobliwe, że uskrzydlały wyobraźnię pacjentów, czyniąc ich bardziej podatnymi na wpływy. W takim stanie sugestia uzdrowienia padała na żyzny grunt; musiały przyjąć ją bezwzględnie świadomość i podświadomość. Lecz o tym więcej w następnym rozdziale.

Biblia mówi o mocy podświadomości

„Wszystko, o co w modlitwie prosicie, stanie się wam, tylko wierzcie, że otrzymaliście" (Mk 11,24).

Zwróć tutaj uwagę na szczególne użycie czasów. Natchniony przez Boga ewangelista wzywa nas, byśmy przyjęli jako fakt i prawdę to, że nasze pragnienie już zostało wysłuchane i spełnione, że „otrzymaliśmy" i że tym samym pragnienie się urzeczywistni.

Warunkiem skuteczności tej metody jest ufne przekonanie, że każda myśl, idea i wyobrażenie są rzeczywistością, która już się w umyśle dokonała. W sferze psychiczno-umysłowej bowiem trwałą postać przybiera tylko to, co uznamy za obecnie istniejącą rzeczywistość.

Zagadkowe przesłanie przytoczonego wyżej miejsca w Biblii trzeba zatem rozumieć jako zwięzłą i celową wskazówkę, jak możemy wykorzystać do naszych celów twórczą siłę myśli – a mianowicie, wpajając podświadomości jasno zarysowane pragnienie. Myśl, ideę, plan, dążenie cechuje w jej własnej sferze najzupełniej realna egzystencja; w sensie umysłowym istnieją one tak samo jak twoja dłoń, serce albo martwe przedmioty w świecie materialnym. Stosując tę zalecaną w Biblii metodę, wyłącz wszelkie zakłócające ją myśli o wydarzeniach lub okolicznościach, które mogłyby zniweczyć twoje plany. Zasiej w duchu myśl, a w świecie zmysłów wzejdzie ona jak ziarno, bylebyś jej pozwolił rosnąć bez zakłóceń.

Nieodzowny warunek, jaki zawsze i wszędzie stawiał Chrystus, brzmi: uwierz! Co rusz czytamy w Biblii: „*Według wiary waszej niech wam się stanie*". Przecież i w ogrodzie zapuszczasz ziarno w ziemię ufając, że wyda ono kwiaty i owoce odpowiednie dla swojego gatunku. Jest to zadaniem ziarna zgodnie z prawami natury. Wiara, jakiej żąda Biblia, to pewien sposób myślenia, stan umysłu, wewnętrzna pewność, za sprawą której wszelkie wyobrażenie przyjęte przez świadomość za bezwzględną prawdę zapadnie w podświadomość i w niej się zakorzeni. W pewnym sensie wierzyć znaczy uważać za prawdę to, czemu przeczy rozum i zmysły. Należy zatem wyłączyć ów jakże ograniczony, kierowany racjonalizmem, analityczny, obiektywizujący umysł – zamiast tego ufnie zdając się na bezgraniczną siłę podświadomości.

Klasyczny tego przykład zawiera Ewangelia według św. Mateusza: „*Gdy wszedł do domu, niewidomi przystąpili do Niego, a Jezus ich zapytał: «Wierzycie, że mogę to uczynić?» Oni odpowiedzieli Mu: «Tak, Panie». Wtedy dotknął ich oczu, mówiąc: «Według wiary waszej niech wam się stanie!» I otworzyły się ich oczy, a Jezus surowo im przykazał: «Uważajcie, niech się nikt o tym nie dowie!»*" (Mt 9,28–30).

Ze słów „*Według wiary waszej niech wam się stanie*" widać wyraźnie, że Jezus zwracał się bezpośrednio do podświadomości niewidomych. Ich wiara polegała na napiętym oczekiwaniu, na nieomylnym przeczuciu, na wewnętrznym przeświadczeniu, że stanie się cud i ich modlitwy zostaną wysłuchane. I tak się też stało. Najstarszym bowiem lekarzem świata, najpowszechniejszą metodą leczenia jest – niezależnie od religii – **wiara**.

Słowami: „*Uważajcie, niech się nikt o tym nie dowie!*" Jezus przykazuje świeżo uzdrowionym, żeby z nikim nie rozmawiali o cudzie, jaki ich przed chwilą spotkał. Sceptycyzm i lekceważące uwagi niewiernych mogłyby bowiem zasiać lęk i zwątpienie w sercach ozdrowieńców i tym samym pozbawić słowa Chrystusa ich uzdrowicielskiej mocy.

„... z władzą i mocą rozkazuje nawet duchom nieczystym, a one wychodzą!" (Łk 4,36)

Chorzy szukający u Chrystusa pomocy doznawali uleczenia dzięki wierze Jego i swojej oraz dzięki Jego znajomości podświadomych sił. Przenikała Go wiara w prawdziwość i słuszność własnych przykazań. Myśli Jego i ludzi szukających pomocy wyrastały z tej samej wszechogarniającej podświadomości. On znał jej uzdrowicielską moc i stosował ją z najgłębszym przekonaniem, potrafił zatem zmieniać i wykorzeniać negatywne, autodestrukcyjne nawyki myślowe w podświadomości chorych. Osiągnięte w ten sposób uzdrowienia były po prostu automatyczną reakcją na przełom wewnętrzny. Apel do podświadomości chorych przyoblekał Chrystus w formę stanowczego rozkazu, który musiał bezwzględnie wywołać pożądaną reakcję.

Cuda dzieją się w wielu miejscach pielgrzymek na świecie

Stwierdzonym faktem jest, że cudowne uzdrowienia miały miejsce w różnych świątyniach na świecie – w Europie, Ameryce, Indiach i w Japonii. Sam zwiedzałem wiele słynnych miejsc pielgrzymek w Japonii – na przykład słynną świątynię

Diabutsu, gdzie stoi ogromny posąg modlącego się Buddy. Ta 13-metrowa rzeźba z brązu zwana jest „wielkim Buddą". Widziałem, jak młodzi i starzy ludzie kładli mu u stóp ofiary. Piętrzyły się tam pieniądze, ryż, owoce. Płonące świece, zapach kadzidła i błagalne modlitwy sprawiły, że był to dla mnie niezapomniany widok.

Nasz przewodnik przetłumaczył nam modlitwę młodej dziewczyny, która z głębokim ukłonem położyła na ołtarzu ofiarnym dwie pomarańcze i zapaliła świecę. Dowiedzieliśmy się, że dawniej była niemową, głos odzyskała u progu tej świątyni. Teraz zaś dziękowała Buddzie za cudowne uzdrowienie, które było możliwe tylko dzięki jej dziecięcej wierze. Pełna była radosnej ufności, że Budda znów pozwoli jej śpiewać piosenki, jeśli tylko ona dopełni pewnego rytuału, odbędzie post i złoży stosowne ofiary. Tak też zrobiła, a jej podświadomość otwarła się na tę niezachwianą wiarę i przyniosła upragnione uzdrowienie.

Kolejnym przykładem, jaką potęgą jest wyobraźnia i niezachwiana wiara, niech będzie historia mojego krewnego, chorego na gruźlicę. Oba płuca miał już mocno zniszczone, kiedy jego syn postanowił uleczyć ojca. Pojechał do rodzinnego miasta Perth w Australii i opowiedział ojcu, że spotkał mnicha, który właśnie wrócił z pewnego miejsca pielgrzymek w Europie, i sprzedał mu za odpowiednik dwustu marek niemieckich maleńki kawałek krzyża świętego.

W rzeczywistości zaś ów młody człowiek podniósł z ziemi pierwszą lepszą drzazgę i kazał ją jubilerowi oprawić w złoto, aby wyglądała jak prawdziwa relikwia. Powiedział ojcu, że samo dotknięcie tego cudotwórczego odłamka uleczyło już wielu ludzi. Udało mu się pobudzić wyobraźnię i wiarę ojca tak mocno, że ten wyrwał mu pierścień, położył go sobie na piersi, odmówił po cichu modlitwę, po czym wyczerpany usnął. Nazajutrz rano był całkowicie zdrów. Przeprowadzone z największą dokładnością badania kliniczne wykazały, że choroba znikła bez śladu.

Uzdrowienia tego nie należy oczywiście przypisywać drzazdze, ale rozbudzeniu niezwykłej woli i niezachwianej pewności uzdrowienia. Ojciec nigdy się nie dowiedział, jakiemu podstępowi zawdzięcza wyzdrowienie – taki zawód bowiem mógłby łatwo spowodować nawrót choroby. Przeżył jeszcze 15 lat w pełnym zdrowiu i zmarł w wieku 89 lat.

Jedyna uniwersalna moc uzdrowicielska

Wiadomo, że istnieją rozliczne metody leczenia, które prowadzą do uzdrowień, niewytłumaczalnych dla medycyny. Wynika stąd nieodparty wniosek o istnieniu pewnej wspólnej zasady uzdrowicielskiej, wspólnej tym wszystkim metodom. Owa jedyna i niepowtarzalna moc uzdrowicielska spoczywa w podświadomości, do której prowadzi tylko jedna droga: wiara.

Pora uzmysłowić sobie raz jeszcze następujące podstawowe prawdy:

1. Posiadasz zdolności duchowe, których różne postacie określamy mianem „świadomości" i „podświadomości".

2. Twoja podświadomość podlega ciągłym sugestiom i steruje twoim ciałem we wszystkich jego funkcjach.

Czytelnicy tej książki wiedzą zapewne, że hipnozą można wywołać objawy wszystkich niemal chorób. Wystarczy, na przykład, zasugerować zahipnotyzowanej osobie, że ma wysoką gorączkę, dreszcze albo silne rumieńce na twarzy, i tak się właśnie stanie. Bez trudu można też przekonać badaną osobę, że nie może poruszać nogami, albo podtyka się komuś pod nos szklankę wody mówiąc: „To pieprz. Powąchaj!" Ataku kichania, który wtedy nastąpi, nie wywoła oczywiście woda, ale – jak we wszystkich przytaczanych tu zjawiskach – siła sugestii.

Kiedy komuś, kto ma alergię na pierwiosnki, poda się w hipnozie ołówek mówiąc, że to pierwiosnek, natychmiast pojawią się u niego typowe objawy alergii. Trudno o lepszy dowód, że te objawy choroby wynikają tylko i wyłącznie z wyobrażeń w umyśle danej osoby. A zatem, w ten sam sposób, drogą duchową, można również leczyć dolegliwości.

Któż nie słyszał o niezwykłych sukcesach osteopatii, chiropraktyki i medycyny naturalnej? Któż nie czytał o cudownych uzdrowieniach, które w najróżniejszych religiach tłumaczy się łaskawością wzywanego bóstwa? My jednak wiemy, dlaczego ci wszyscy ludzie tak nadspodziewanie szybko odzyskiwali zdrowie: uzdrowiła ich własna podświadomość – jedyna prawdziwa moc uzdrowicielska, jaką znamy.

Jej działanie możesz sam zaobserwować, kiedy goi ci się rana. Podświadomość dokładnie wie, co robić. Lekarz tylko przynosi opatrunek i powiada: „Reszta należy do natury!" Jej zaś prawa są takie, jak prawo podświadomości, której najważniejszym zadaniem jest ochrona i podtrzymywanie życia. Najwyższym prawem natury jest instynkt samozachowawczy. Najsilniejszy jej popęd jest zarazem najpotężniejszą autosugestią.

Sprzeczne teorie

Wdawanie się w szczegóły rozlicznych teorii, jakie nam proponują z jednej strony rozmaite grupy wyznaniowe i sekty, z drugiej zaś różnej maści medyczni bakałarze, byłoby równie nużące, co jałowe. Prawie wszyscy głoszą wyłączną słuszność własnej metody. Wzajemna sprzeczność tych teorii, co pokazałem w poprzednim rozdziale, jest niezbitym dowodem, że się mylą.

Istnieje mnóstwo metod leczniczych. Praktykujący w Paryżu austriacki lekarz Franz Anton Mesmer (1734–1815) przekonany, że oto odkrył uniwersalne właściwości lecznicze magnesu, stosował go przy najróżniejszych chorobach ze skutecznością, która graniczyła z cudem. Przy innych kuracjach wykorzystywał rozmaite szkła i metale. Później całkowicie zrezygnował ze stosowania jakichkolwiek preparatów, tłumacząc swoje lecznicze sukcesy działaniem tak zwanego „zwierzęcego magnetyzmu", który wedle jego teorii przepływać miał od lekarza do pacjenta.

W końcu ograniczył się wyłącznie do hipnozy, którą w tamtej epoce nazwano od jego nazwiska „mesmeryzmem". Inni lekarze natomiast dowodzili, że to nic innego jak sugestia. Psychiatrzy, psychologowie, osteopaci, chiropraktycy, lekarze i kościoły – słowem, wszystkie grupy i jednostki, które starają się chronić psychiczne i fizyczne zdrowie ludzkości, stosują zawsze ten sam środek: bezgraniczną, wszechogarniającą siłę podświadomości. To jej działanie pragnie przypisać sobie każda medyczna teoria. U podstaw wszelkiego leczenia leży określone, pozytywne nastawienie umysłu – ta właśnie wewnętrzna postawa czy sposób myślenia, który zwiemy „wiarą". Uzdrowienie wynika z ufnego oczekiwania, które udziela się podświadomości jako przemożna sugestia i uruchamia wszystkie jej uzdrowicielskie moce. Tylko to oczekiwanie – nieważne, jaką metodą lub techniką je nazwiemy – może przynieść nam pomoc.

Istnieje tylko jedna zasada uzdrowicielska – jest nią wiara. Istnieje tylko jedna moc uzdrowicielska – jej źródłem jest podświadomość. Spróbuj spokojnie, bezstronnie i rzetelnie pojąć własny początek i własną naturę. Możesz być pewien lub pewna sukcesu – wystarczy mocno uwierzyć!

Poglądy Paracelsusa

Słynny po dziś dzień szwajcarski alchemik i lekarz Paracelsus (1493–1541) był jednym z największych uzdrowicieli swojej epoki. Sformułował znaną nam i stwierdzoną prawdę naukową: „Czy słuszny, czy niesłuszny przedmiot twojej wiary, zadziała ona tak samo. Gdybym uwierzył w posąg św. Piotra tak, jakbym wierzył w samego Apostoła, w obu przypadkach przyniosłoby to te same owoce. To wiara czyni cuda. I w każdym przypadku czynić je będzie tak samo, czy w słusznej, czy też w mylnej wierze."

Współczesny Paracelsusowi włoski filozof Pietro Pomponazzi powiedział to samo innymi słowami: „Nietrudno wyobrazić sobie wszystkie przedziwne skutki, jakie potrafią wywołać moce wyobraźni i niezachwianej ufności, zwłaszcza kiedy określają stosunek między leczącym a leczonym. Uzdrowienia przypisywane wpływowi pewnych relikwii są w istocie zaledwie dziełem inspirowanej nimi wyobraźni i ufnej wiary. Znachorzy i filozofowie wiedzą dobrze, że gdyby kosteczki świętych zamienić na zupełnie inne, chory zazna jednakowo dobroczynnych działań, póki wierzyć będzie, iż chodzi o najprawdziwszą relikwię."

Obojętne, czy uwierzysz w cudowne działanie szczątków świętego, czy w uzdrowicielską moc jakiejś wody – sugestywność tych wyobrażeń wywrze na twoją podświadomość taki sam wpływ. A to od niej przecież wychodzi ozdrowienie.

Eksperymenty Bernheima

Profesor wydziału medycznego na uniwersytecie w Nancy w latach 1910–1919, Hippolyte Bernheim, głosił z naciskiem pogląd, że podświadomość stanowi pomost, po którym sugestia lekarza dociera do pacjenta.

W swojej „Terapii sugestywnej" opowiada o przypadku paraliżu języka, którego nie dawało się wyleczyć żadnymi metodami. Pewnego dnia lekarz powiedział pacjentowi, że na pewno go wyleczy z pomocą najnowszego instrumentu. Po czym wetknął mu do ust termometr. Chory był przekonany, że to ów „najnowszy instrument". Minęło kilka chwil i z radością zawołał, że znów może swobodnie poruszać językiem.

Bernheim mówi dalej: „Podobne przypadki miały miejsce u naszych pacjentów. Kiedyś zgłosiła się do mnie młoda dziewczyna, która przed czterema tygodniami całkowicie straciła mowę. Po starannym zbadaniu postawiłem jednoznaczną diagnozę. Następnie przedstawiłem pacjentkę studentom, którzy z moich wykładów wiedzieli, że zahamowania mowy można czasem usunąć samą sugestią elektrowstrząsu. Przytknąłem jej do krtani końcówki induktora, poruszyłem nimi kilka razy tam i z powrotem i powiedziałem: «A teraz proszę głośno mówić!» Kazałem pacjentce głośno powiedzieć «A», potem «B», a potem «Maria». Artykułowała głoski zupełnie wyraźnie, a zaburzenie mowy znikło bez śladu."

Bernheim dostarcza tu przykład, jaką siłę dają wiara i ufność, oddziałujące przemożną sugestią na podświadomość chorego.

Kiedy indziej Bernheim opowiada, jak przykleił pacjentowi na karku znaczek pocztowy mówiąc, że to plaster ciągnący – w tym miejscu zrobił się pęcherz. Potwierdzeniem tego zjawiska są doświadczenia i eksperymenty wielu innych lekarzy z całego świata. Dowodzą one jednoznacznie, że ustne sugestie mogą wywołać u osób leczonych zmiany strukturalne.

Przyczyna krwawienia stygmatów

W książce „Law of Psychic Phenomena" (Prawo zjawisk psychicznych) Hudson stwierdza: krwotoki i krwawiące stygmaty może w pewnych przypadkach wywołać sugestia.

Dr M. Bourru, dla eksperymentu, wprawił młodego człowieka w stan hipnozy i zasugerował mu rzecz następującą: „Dzisiaj o czwartej po południu pójdzie pan do mojego gabinetu, usiądzie przy biurku, skrzyżuje ręce na piersi i dostanie krwotoku z nosa". Młody człowiek stawił się o wyznaczonej porze, zrobił, co mu kazano, a wtedy z lewej dziurki w nosie pociekły krople krwi.

Również w ramach eksperymentu ten sam uczony tępym narzędziem nakreślił innemu młodemu człowiekowi na lewym przedramieniu jego nazwisko. Następnie wprawił go w stan hipnozy i powiedział: „Dziś o czwartej po południu zaśnie pan, a w miejscach, których przed chwilą dotknąłem, pokaże się krew, tak że na ramieniu pojawi się napisane krwią pańskie nazwisko". Młodego człowieka wzięto pod obserwację. O czwartej zasnął, a na jego lewym ramieniu pokazały się wyraźne litery; w paru miejscach spod skóry sączyła się nawet krew. Z biegiem czasu litery blakły, lecz nawet po trzech miesiącach było je jeszcze wyraźnie widać. Takie i temu podobne eksperymenty naukowe dowodzą jednoznacznie słuszności obu podstawowych faktów, na jakie wskazaliśmy powyżej. Po pierwsze: podświadomość podlega stale sile sugestii. I po drugie: podświadomość steruje całokształtem fizycznych funkcji, odczuć i stanów.

Wszystkie opisane tu zjawiska ukazują dobitnie, że sugestią wywoływać można anomalie. Jednocześnie służą za dowód następującego twierdzenia: *„Człowiek jest taki, jak myśli w sercu"*. („Sercem" jest podświadomość).

STRESZCZENIE

1. Pamiętaj, że jedyną i prawdziwą moc uzdrowicielską kryje twoja podświadomość.

2. Nie zapominaj, że wiara zapada w podświadomość jak ziarno, zapuszcza w niej korzenie i wydaje odpowiedni owoc. Hoduj wyobrażenia w duchu, uwierz ufnie we własne inspiracje, a przybiorą realny kształt.

3. Twój pomysł książki, nowy wynalazek albo coś w tym rodzaju stanowi pewną umysłową rzeczywistość. Uwierz mocno w realność swojego pomysłu, planu albo wynalazku – a stanie się rzeczywistością.

4. Kiedy się za kogoś modlisz, rób to z przekonaniem, że twoje wyobrażenia zdrowia, piękna i doskonałości przezwyciężą negatywne schematy myślowe w jego podświadomości, a tym samym dokonają wielkiej zmiany.

5. Cudowne uzdrowienia, jakie zdarzają się w wielu miejscach pielgrzymek, tłumaczyć należy sugestią, jaką na podświadomość wywiera wyobraźnia i ślepa wiara, wyzwalając jej uzdrowicielskie moce.

6. Wszelkie choroby mają źródło w umyśle.

7. Sugestią hipnotyczną wywołać można objawy prawie wszystkich chorób. Dowodzi to, jaką potęgą jest myśl.

8. Istnieje tylko jedna zasada uzdrowicielska, a jest nią wiara. Istnieje tylko jedna moc uzdrowicielska, a jej źródłem jest podświadomość.

9. Podświadomość reaguje na twoje myśli. Przyniosą one efekty bez względu na to, czy żywisz słuszną, czy mylną wiarę. Potraktuj swoją wiarę jako pewną duchową rzeczywistość, a cała reszta wyniknie sama.

Rozdział 5

Duchowe uzdrowienia w naszych czasach

To zrozumiałe, że każdy z nas zastanawia się, jak najlepiej leczyć fizyczne i psychiczne niedomagania człowieka. Co powoduje uzdrowienie, gdzie znaleźć uzdrowicielską siłę – któż nie zadawał sobie takich pytań... Odpowiedź jest taka: moc uzdrowicielska spoczywa w podświadomości każdego człowieka. Do ozdrowienia wystarczy, aby chory zmienił nastawienie umysłu.

Nigdy nikogo nie uleczył kapłan, psycholog, psychiatra, lekarz medycyny konwencjonalnej czy niekonwencjonalnej. Stare przysłowie powiada: „Lekarz opatrzy, Bóg wyleczy". Psycholog albo psychiatra leczy pacjentów tylko dzięki temu, że usuwa wszystko, co tłumi podświadomość, będącą źródłem zdrowia. Podobnie chirurg przywraca niezakłócony obieg prądów uzdrowicielskich, usuwając przed nimi fizyczne przeszkody. Żaden lekarz, chirurg ani uzdrowiciel nie może twierdzić, że to on „wyleczył" pacjenta. Istnieje tylko jedna moc uzdrowicielska, która niejedno ma imię – natura, życie, Bóg, zasada twórcza, powszechna mądrość, moc podświadomości.

Jak już mówiliśmy, jest wiele sposobów, aby pokonać bariery intelektualne, emocjonalne i fizyczne, które tamują

Jeśli ktoś sprowadzi na właściwe tory …zemiącą w jego podświadomości, oczyści …orób. Owa uzdrowicielska zasada działa …ch bez względu na ich pochodzenie, kolor … Podświadomość leczy także rany i urazy …a.

…voczesnej terapii duchowej jest prawda …omość reaguje stosownie do jakości i głębi …. Tak świecki, jak i kościelny uzdrowiciel …ykazań Pisma Świętego i zamykając drzwi …izdebki" – to znaczy odpręża się, uwalnia …n błahostek, skupiając się wyłącznie na …zie uzdrowicielskiej. Zamyka się w umyśle …ska i wydarzenia świata fizycznego, ufnie …świadomości swoją sprawę. Wie on, że wewnętrzne olśnienie objawi mu najlepsze rozwiązanie.

Najwspanialsze zaś jest takie odkrycie: Wyobraź sobie jak najplastyczniej, że pożądany efekt się urzeczywistnił; zasada życia odpowie wtedy na twoją świadomą decyzję i wyraźne pragnienie. Oto bowiem prawdziwe znaczenie bibilijnych słów: *„A o cokolwiek będziecie prosić w modlitwie, wierząc – otrzymacie"* (Mt 21,22). Na tym dokładnie polega terapia modlitwą, jaką uprawiają w naszych czasach duchowi uzdrowiciele.

Jedyny proces uzdrowicielski

Istnieje wyłącznie jedna, powszechna zasada uzdrowicielska, działająca w człowieku, zwierzęciu, drzewie, trawie, wietrze, ziemi – krótko mówiąc, we wszystkim, co żyje. W całym królestwie zwierząt, roślin i minerałów zasada życia objawia się instynktem i prawem wzrostu. Ale tylko człowiek potrafi sobie w pełni uświadomić tę zasadę i pokierować nią przez podświadomość, zaznając wielkich dobrodziejstw.

Istnieje wiele technik i metod korzystania z tej uniwersalnej siły; proces uzdrowicielski jednak jest tylko jeden, a jest nim wiara. Bo przecież: *„Według wiary waszej niech wam się stanie"*.

Prawo wiary

Wszystkie religie świata podają do wierzenia pewne treści, które objaśnia się na różne sposoby. Prawo życia zaś to po prostu prawo wiary. W co wierzysz myśląc o sobie, o życiu i o wszechświecie? Bo przecież: ''*Według wiary waszej niech wam się stanie*''.

Wiara to pewna duchowa rzeczywistość, zależna od twoich nawyków myślowych, która we wszystkich fazach życia pobudza podświadomość. Musisz zrozumieć, że Biblia nie mówi o wierze w rytuał, ceremonię, formę, instytucję, w jakiegoś człowieka lub formułę; musisz zrozumieć, że treść twojej wiary jest tożsama z treścią twoich myśli. Co pomyślisz, w to uwierzysz: ,,*Wszystko możliwe jest dla tego, kto wierzy*'' (Mk 9,23).

Niedorzecznością jest sądzić, że istnieje cokolwiek, co mogłoby ci zaszkodzić samo z siebie. Nie jest najważniejsze, w co wierzysz, ale samo to, że wierzysz. Wszystkie bowiem doznania, działania, zdarzenia i sytuacje w twoim życiu są jedynie oddźwiękiem, reakcją na twoje myśli.

Na czym polega terapia modlitwą?

W terapii modlitwą zespala się funkcje świadomości i podświadomości, kierując je w naukowy i przemyślany sposób ku określonemu celowi. W modlitwie naukowej musisz dokładnie wiedzieć, **co** i **dlaczego** robisz. Pokładasz ufność w prawie uzdrowienia i z tej właśnie ufności korzysta terapia modlitwą, zwana też czasem modlitwą naukową albo uzdrowicielstwem duchowym.

Wybierz sobie ideę, wizję lub plan, którego urzeczywistnienia chciałbyś doczekać. Myśl o tym albo wyobrażenie tego zapadnie w podświadomość dzięki temu, że plastycznie wyobrazisz sobie jego realizację. Jeśli z niezachwianą wiarą wyobrażać sobie będziesz spełnienie takich pragnień, modlitwa twoja zostanie wysłuchana. Terapia modlitwą polega na konkretnych działaniach umysłu, skierowanych na wyraźny cel.

Załóżmy, że chcesz tą metodą pokonać jakąś trudność. Zdajesz sobie sprawę, że kłopoty (chorobę albo cokolwiek innego) spowodowały negatywne myśli, które – co gorsza, umocnione strachem – wryły się w twoją podświadomość. Z drugiej strony masz krzepiącą pewność, że jeśli tylko przegnasz wszystkie czarne myśli, zdołasz ten ciężar zrzucić.

Przemów zatem wprost do uzdrowicielskiej mocy, jaka spoczywa w podświadomości. Przypomnij sobie, jak wielka i mądra to siła. Pamiętając o tym, pokonaj strach i wszystkie fałszywe wyobrażenia, jakie się zagnieździły w twoim umyśle.

Podziękuj później za uzdrowienie, którego na pewno dostąpisz, i nie myśl o kłopotach, dopóki znów nie poczujesz potrzeby modlitwy. Nie pozwól, aby podczas modlitwy powstały negatywne myśli albo niewiara w uzdrowienie. Silna wiara stapia świadomość i podświadomość w harmonijną całość, która dla ciebie oznacza leczniczą moc.

Co znaczy „uzdrawianie modlitwą" i jak działa ślepa wiara?

Tak zwane „uzdrawianie modlitwą" nie ma nic wspólnego z wiarą biblijną, która polega na poznaniu powiązań między świadomością a podświadomością. Uzdrowiciel leczy bez prawdziwego, naukowego zrozumienia działających sił. Twierdzi on zazwyczaj, że posiadł „wyjątkowy dar" uzdrawiania – jednak ewentualny sukces można tłumaczyć tylko ślepą wiarą chorego.

I tak, w Afryce Południowej oraz wśród ludów prymitywnych całego świata medycy leczą poprzez magiczne śpiewy i tańce. W innych przypadkach uzdrowienie tłumaczy się dotknięciem relikwii. Najważniejsze, aby chory był całkowicie przekonany o skuteczności stosowanych środków.

Uzdrowieniem jest **każde działanie**, które uwalnia umysł od lęków i trosk, napełniając go mocną wiarą i oczekiwaniem dobra. Spójrzmy na pewien przykład ślepej wiary. Znamy już postać słynnego lekarza Franza Antona Mesmera. W roku 1776 tłumaczył on swoje częste sukcesy uzdrowicielskie stosowaniem sztucznych magnesów, które przesuwał po chorych częściach ciała. Później zrezygnował z tego, tworząc teorię „zwierzęcego magnetyzmu". Twierdził, że jest to fluid wypełniający cały kosmos, najsilniej jednak występujący w organizmie człowieka.

Ów magnetyczny fluid przechodził rzekomo od niego na pacjentów i uzdrawiał ich. Wkrótce zaczęły do niego napływać gromady chorych – i rzeczywiście, było sporo niezwykłych uzdrowień.

Kiedy Mesmer zamieszkał w Paryżu, rząd mianował komisję złożoną z lekarzy i członków Akademii Nauk. Należał do niej także Benjamin Franklin. Raport komisji potwierdził wprawdzie uzdrowienia, którymi chlubił się Mesmer; nie znaleziono jednak żadnych przesłanek co do słuszności jego teorii fluidów i przyjęto, że jedynym źródłem zaskakujących uzdrowień była wyobraźnia pacjenta.

Niebawem Mesmera wydalono z kraju; zmarł w roku 1815. W krótki czas później doktor Braid z Manchesteru wykazał naukowo, iż nie istnieje żaden związek między rzekomym fluidem magnetycznym a uzdrowieniami doktora Mesmera. Drogą sugestii wprawiał on badane przez siebie osoby w sen hipnotyczny, aby w tym stanie wywoływać u nich zjawiska podobne do tych, które Mesmer przypisywał działaniu magnetyzmu.

Najwyraźniej wszystkie te uzdrowienia powodował wpływ silnej sugestii na wyobraźnię i podświadomość pacjenta. Ponieważ w owych czasach nie znano jeszcze tła owych zjawisk, można tu mówić wyłącznie o ślepej wierze.

Znaczenie wiary subiektywnej

Jak już opisywaliśmy, podstawowe prawo umysłu stanowi, że na podświadomość (umysł subiektywny) każdego człowieka równie mocno wpływa jego własna świadomość (umysł obiektywny), jak i cudza sugestia. Jeśli wierzysz w coś, podświadomość – niezależnie od twojego obiektywnego nastawienia – będzie się kierować wyłącznie daną sugestią, i twoje pragnienie się spełni.

Uzdrowienia duchowe polegają wyłącznie na działaniu czysto subiektywnej wiary, która powstaje dzięki temu, że świadomość (umysł obiektywny) odrzuca wszelkie rozumowe zastrzeżenia.

Dla fizycznego uzdrowienia pożądane jest oczywiście, aby przekonanie subiektywne pokrywało się z obiektywnym. Jeśli jednak zdołasz tak odprężyć umysł i ciało, że twoja podświadomość stanie się szczególnie podatna na subiektywne wrażenia, bezgraniczna wiara nie będzie konieczna.

Niedawno pewien jegomość spytał mnie: „Niby dlaczego miałby mnie uzdrawiać ksiądz? Nie uwierzyłem ani w jedno jego słowo, kiedy mówił mi, że nie istnieje ani choroba, ani materialny wszechświat."

Wspomnianemu panu twierdzenie to wydało się całkowitym absurdem i potraktował je przede wszystkim jako obrazę swojej inteligencji. Mimo to łatwo wytłumaczyć jego uzdrowienie. Polecono mu, by przez chwilę zachowywał się całkowicie biernie, nic nie mówił ani o niczym nie myślał. Wtedy ksiądz wprawił się w stan podobny do transu i przez jakieś pół godziny spokojnie sugerował swojej podświadomości, że jego gość całkowicie wyzdrowieje na duszy i umyśle i że zacznie prowadzić harmonijne i zrównoważone życie. Chory poczuł nagle niezwykłą ulgę i od tej chwili był zdrów.

Stosując się do poleceń księdza i całkowicie biernie poddając się jego leczeniu, wspomniany mężczyzna dokonał aktu wiary subiektywnej, którym otworzył się w podświadomości na sugestie duchownego. Tym samym powstało bezpośrednie połączenie, jak gdyby hipnotyczna więź między podświadomością leczącego i pacjenta.

Uleczeniu nie przeszkodziła więc przeciwna autosugestia pacjenta, wywołana jego obiektywną niewiarą w zdolności uzdrowicielskie i w teorie księdza. W opisanym powyżej stanie półsnu opór świadomości maleje bowiem skrajnie, dzięki czemu nie może przeszkodzić uleczeniu. Podświadomość pacjenta – poddana całkowicie sugestii z zewnątrz – odpowiednio zareagowała, przynosząc wyzdrowienie.

Istota i skutki leczenia na odległość

Załóżmy, że dowiadujesz się o ciężkiej chorobie twojej matki, która mieszka w innym mieście. Natychmiastowa fizyczna pomoc jest w tym przypadku wykluczona, możesz jednak wspierać matkę modlitwą. *„Albowiem Ojciec, który żyje w Tobie, niesie radę i pomoc”.*

Twórcze prawo umysłu zawsze i wszędzie działa dla ciebie. Ponieważ podświadomość reaguje całkiem automatycznie, leczenie na odległość polega po prostu na tym, że przywołujesz wizję harmonii i szczęścia. Istnieje tylko jedna, wspólna dla wszystkich twórcza podświadomość – a zatem wyobrażenie, jakie przekażesz jej w swoim umyśle, podziała na podświadomość matki. Dzięki medium, jakim jest uniwersalna podświadomość, twoje myśli o witalności i zdrowiu przenoszą się dalej, wyzwalając zwykły proces, który uleczy organizm twojej matki.

Zasada ta nie zna ani czasowych, ani przestrzennych ograniczeń, przez co miejsce pobytu twojej matki nie gra roli. Dzięki wszechobecności uniwersalnego umysłu nie można tu w ogóle mówić o leczeniu na odległość w odróżnieniu od terapii osobiście prowadzonej na miejscu. Nie chodzi też o to, abyś był myślami gdzieś daleko przy matce; leczenie polega raczej na dynamice żywych wyobrażeń zdrowia, dobrego samopoczucia i odprężenia, które przenosząc się na podświadomość matki, odpowiednio zadziałają.

Typowym przykładem tak zwanego leczenia na odległość jest poniższy przypadek: mieszkająca w Los Angeles słuchaczka moich audycji radiowych tak modliła się za swoją zamieszkałą w Nowym Jorku matkę, która cierpiała na ciężki zakrzep: „Duchowa moc uzdrowicielska jest wszechobecna i otacza także tam, daleko, moją matkę. Jej fizyczna dolegliwość to wierne odbicie jej myśli i wyobrażeń. Umysł rzuca swoje obrazy na ciało, jakby było ekranem filmowym. Żeby zmienić bieg wydarzeń, muszę więc założyć inny film. Mój umysł będzie więc projektorem, a ja wyświetlę swoje wyobrażenia, w których matka cieszy się pełnym zdrowiem. Ta sama nieskończona moc, która stworzyła ciało matki i wszystkie jego narządy, przenika odtąd i leczy każdy atom jej istoty; każdą komórkę jej organizmu przepełnia spokój i harmonia. Bóg natchnie prowadzących ją lekarzy, i każda ręka, jaka dotknie matki, nieść będzie dobro i zdrowie. Wiem, że w rzeczywistości żadna choroba nie istnieje, inaczej bowiem nikt nie mógłby wyzdrowieć. Łączę się odtąd z nieskończoną zasadą miłości i życia; wiem, że te myśli przyniosą matce spokój, harmonię i zdrowie, i chcę tego."

Powtarzała tę modlitwę kilka razy dziennie, aż po paru dniach, ku wielkiemu zaskoczeniu leczącego jej matkę specjalisty, nastąpiła przedziwna poprawa. Lekarz był pełen podziwu, jak mocno matka wierzyła w boską wszechmoc. Wyobrażenia córki ożywiły duchowo-twórczą zasadę, która objawiła się w ciele matki pełnią zdrowia i harmonii. Uzdrowienie, które córka z góry zakładała, stało się wkrótce faktem.

Siła kinetyczna podświadomości

Mój znajomy psycholog poddał się badaniu rentgenowskiemu, które wykazało wyraźne ślady gruźlicy w jednym płucu. Wyrobił w sobie wtedy nawyk powtarzania przed zaśnięciem następujących, wolnych od jakichkolwiek wątpliwości myśli: „Każda komórka, każdy nerw, każda tkanka i każdy mięsień moich płuc oczyszcza się w tej chwili i zdrowieje. Wkrótce mój organizm odzyska równowagę i zdrowie."

Nie jest do dosłowny cytat, oddaje jednak sens jego myśli. Po jakichś czterech tygodniach prześwietlenie wykazało, że po chorobie nie zostało ani śladu.

Chcąc zgłębić jego metodę pytałem, dlaczego robił to właśnie przed snem. Odpowiedział: „Kinetyczne działanie podświadomości trwa przez cały czas snu. Dlatego zanim zapadniemy w drzemkę, powinny nas zaprzątać pozytywne myśli." Tkwi w tym głęboka prawda – ktoś bowiem, kto skupi się na wyobrażeniach całkowitego zdrowia i harmonii, unika myśli o własnych dolegliwościach.

Dlatego zachęcam cię usilnie, abyś nie mówił o swoich dolegliwościach ani nie nazywał ich po imieniu. Im większy bowiem czujemy przed nimi respekt, tym bardziej się pogłębiają. Działaj więc niczym duchowy chirurg: jednym pewnym cięciem usuwaj wszelkie negatywne myślenie tak, jak na zdrowym drzewie obcina się uschłe konary.

Dopóki żyjesz myślą o chorobie i jej objawach, dopóty hamujesz kinetyczne działanie podświadomości, nie pozwalając, by rozwinęła pełną uzdrowicielską siłę. Poza tym, za sprawą twojego umysłu negatywne wyobrażenia nazbyt łatwo stają się rzeczywistością – tą właśnie, której tak bardzo się obawiamy. Dlatego miej na uwadze wielkie prawdy o życiu i postępuj z miłością.

STRESZCZENIE

1. Musisz uzmysłowić sobie, co obdarza cię prawdziwym zdrowiem. Nabierz mocnego przeświadczenia, że pod fachowym kierunkiem twoja podświadomość przyniesie zdrowie duszy i ciału.

2. Ułóż sobie dokładny plan, w jaki sposób chcesz przekazać podświadomości życzenia i zalecenia.

3. Wyobraź sobie najbardziej wyraziście, jak potrafisz, spełnienie swoich pragnień i uznaj, że już się urzeczywistniły. Jeśli nie zabraknie ci wytrwałości i koncentracji, sukces nie każe na siebie długo czekać.

4. Pamiętaj, co naprawdę znaczy słowo „wiara": oznacza ono myśl obecną w twoim duchu. Każda zaś myśl posiada twórczą moc samourzeczywistnienia.

5. Niedorzecznością byłoby sądzić, że choroba lub cokolwiek innego może ci zaszkodzić albo sprawić ból. Nie pozwól, aby coś cię odwiodło od wiary w pełnię zdrowia, w sukces, spokój, dobrobyt i boską opiekę.

6. Szlachetne myśli niech wejdą ci w nawyk – a zmienią się w szlachetne czyny.

7. Korzystaj z siły, jaką jest modlitwa. Snuj plany, idee, wizje. Umysłem i wyobraźnią utożsamiaj się z wyobrażeniem, zachowuj właściwą postawę umysłu, a twoja modlitwa zostanie wysłuchana.

8. Pamiętaj zawsze, że moc uzdrawiania zyskuje każdy, kto jej pragnie i umie w nią uwierzyć. Wiara oznacza tutaj wiedzę o prawdziwym działaniu świadomości i podświadomości. Prawdziwa wiara powstaje dopiero wraz z prawdziwym zrozumieniem.

9. „Ślepą wiarę" posiadł ktoś, kto nie mając wiedzy naukowej o działających tu siłach, odnosi sukcesy lecznicze.

10. Naucz się modlić za swoich chorych bliskich. Uspokój i odpręż ciało i umysł, a wtedy przez wszechobecny umysł subiektywny twoje myśli o zdrowiu, witalności i doskonałości uzdrowią bliską ci osobę, udzielając się jej podświadomości.

Rozdział 6

Praktyczne zastosowanie terapii umysłowej

Każdy inżynier specjalista posiadł wiedzę potrzebną do zbudowania mostu albo maszyny. Podobnie i twój umysł rozporządza określoną techniką, dzięki której czuwa nad twoim życiem, kierując je określonym torem. Opanowanie tych metod ma zasadnicze znaczenie.

Inżynier, któremu powierzono budowę mostu Golden Gate, posiadał znakomitą wiedzę fachową. Zdołał ponadto wyrobić sobie dokładny obraz mostu, śmiało rozpiętego pomiędzy brzegami. Przy użyciu bezpiecznych, sprawdzonych naukowo metod zbudował most, po którym dzisiaj przekraczamy zatokę San Francisco. Również i w modlitwie, jeśli ma być wysłuchana, musisz przestrzegać określonych reguł. Chodzi tu o ściśle określony proces naukowy. W naszym świecie, zbudowanym na prawie i porządku, nic nie dzieje się z czystego przypadku. Poniższe strony wprowadzą cię w kilka praktycznych technik, które wzbogacą twoje życie duchowo-psychiczne. Modlitwy nie mogą zawisnąć w powietrzu, lecz muszą dotrzeć do celu i w zamierzony sposób wpływać na czyjeś życie. Dokładniejsza analiza modlitwy pokazuje, na ile sposobów można się modlić. Pomijamy tutaj czysto formalne i rytualne modlitwy, stanowiące nieodłączny składnik nabożeństwa, ponieważ mają one znaczenie tylko dla praktyk zbiorowych. W publikacji tej zajmiemy się wyłącznie modlitwą osobistą, która znajduje zastosowanie w życiu codziennym jako prośba o pomoc dla siebie i innych.

W modlitwie formułujemy pewną myśl albo pragnienie, skierowane na bardzo określony cel. Ktoś, kto się modli, daje wyraz tęsknocie serca. Co więcej, pragnienie i modlitwa stanowią jedno. W modlitwie formułujesz swoje najważniejsze potrzeby, najpilniejsze pragnienia. *„Błogosławieni, którzy łakną i pragną sprawiedliwości, albowiem oni będą nasyceni”*. To jest prawdziwa modlitwa: ludzkie łaknienie i pragnienie pokoju, harmonii, zdrowia, radości i wszelkich innych życiowych dobrodziejstw.

Technika myślowego wpływania na podświadomość

Technika ta w istocie polega na tym, by skłonić podświadomość do przyjęcia pragnień, jakie jej przekazuje świadomość. Najłatwiej dokonać tego w stanie transu. W głębokich warstwach umysłu kryje się nieskończona mądrość i moc. Postaraj się zatem w spokoju przemyśleć swoje pragnienie, a możesz być przekonany, że jego spełnienie zacznie się przybliżać. Weź przykład z dziewczynki, która cierpiała na ostry kaszel i bolesne zapalenie gardła. Wielokrotnie oznajmiała z całym przekonaniem: „Przeziębienie już mi przechodzi. Przeziębienie już mi przechodzi.” Po godzinie objawy istotnie znikły bez śladu. Stosuj ową technikę z taką samą niewzruszoną, dziecięcą ufnością.

Podświadomość przyjmie każdy jasno nakreślony plan

Chcąc zbudować dom dla siebie i rodziny, z pewnością dopracowałbyś jego plan aż po najdrobniejsze szczegóły i pilnowałbyś, aby murarze ściśle się go trzymali. Uważałbyś również na materiał, stosując wyłącznie suche drewno i nieskazitelną stal – słowem, wszystko w najlepszym gatunku. A jak wygląda rzecz z twoim duchowym domostwem i z planami szczęśliwego, dostatniego życia? Wszystkie zdarzenia i okoliczności w twoim życiu zależą od jakości duchowych cegiełek, z jakich wznosisz swój duchowy dom.

Jeśli lęk, troska, strach i niedostatek wypaczą twój projekt, a ty sam będziesz przybity, pełen zwątpienia i cynizmu, wtedy i twój umysł naznaczy trud, troska, napięcie, obawy i przeróżne ograniczenia.

Każda świadoma chwila, jaką poświęcasz rozwojowi swojej umysłowości i osobowości, ma dla twojego życia najgłębsze znaczenie. Słowo wypowiedziane tylko w myśli jest niesłyszalne i niewidzialne – niemniej istnieje w rzeczywistości. Nieustannie budujesz z myśli i wyobrażeń domostwo własnego umysłu. Każdą chwilę, każdą sekundę możesz wykorzystać do tego, by na fundamencie idei i przekonań, rozwijających się tylko w twoim umyśle, zbudować życie promieniejące zdrowiem i szczęściem. W pracowni umysłu tworzysz sobie osobowość i doczesną tożsamość. W ten sposób zostawiasz światu ślady własnego życia.

Ułóż sobie nowy plan. Wykonaj go w zupełnej ciszy, myśląc od tej chwili o spokoju, harmonii, radości i gotowości niesienia dobra. Zatrzymując się w umyśle przy owych dobrodziejstwach i domagając się ich jak swojej własności, skłonisz podświadomość do podjęcia nowego planu i położysz fundament pod urzeczywistnienie marzeń. *„Poznacie ich po ich owocach”.*

Nauka i sztuka prawdziwej modlitwy

Słowa „nauka” używamy tutaj w sensie wiedzy, zwartego systemu, który łączy i porządkuje rzeczy w sensowny sposób. Zapowiedzianą w tytule „Nauką i sztuką prawdziwej modlitwy” zajmiemy się zatem jako technikami, dzięki którym nie tylko ty, ale i każdy wierzący człowiek może dowieść prawdziwości istnienia podstawowych praw życia i zastosować je dla siebie oraz innych. Pod pojęciem „sztuki" rozumiemy tym samym obraną przez ciebie metodę, polegającą na naukowym poznaniu twórczej siły, jaką jest podświadomość z jej reakcjami na wyobrażenia i myśli.

„Proście, a będzie wam dane; szukajcie, a znajdziecie; kołaczcie, a otworzą wam" (Mt 7,7)

Słowa te ukazują ci perspektywę spełnienia wszystkich pragnień. Drzwi otworzą się na twoje kołatanie i znajdziesz to, czego szukasz. Te słowa Biblii wykluczają jakąkolwiek wątpliwość co do istnienia jasnych praw duchowych i psychicznych. Powszechna mądrość twojej podświadomości zawsze reaguje wprost na twoje świadome myślenie. Temu, kto prosi o chleb, nie podadzą kamienia. Wysłuchana jednak zostanie tylko taka modlitwa, która pochodzi z wierzącego serca. Droga umysłu prowadzi od myśli do przedmiotu. Bez gotowego wyobrażenia umysł nie zdoła zatem rozwinąć żadnych działań, ponieważ zabraknie mu kierunku i celu. Przedmiot twojej modlitwy – jak wiemy – stanowiącej wszak czynność duchową musi jawić ci się jako wyobrażenie, inaczej bowiem podświadomość nie uchwyci twojego pragnienia ani go twórczo nie urzeczywistni. Niech więc twój umysł trwa w stanie otwartej gotowości, jaką daje wiara.

Owo duchowe spojrzenie musi iść w parze z uczuciem wewnętrznej radości i spokoju, jaki wypływa z oczekiwania na niewątpliwy sukces. Sztuka i nauka prawdziwej modlitwy polega zatem na pewnym nieodzownym założeniu. Jest nim niezachwiana wiedza i bezgraniczna pewność, że świadome myślenie wywoła odpowiednią reakcję podświadomości, a ta ostatnia jest tożsama z powszechną mądrością i mocą. Jeśli będziesz dokładnie przestrzegał tej metody, modlitwy twoje zostaną wysłuchane.

Technika „przedstawień obrazowych"

Najprostszy i najbardziej bezpośredni sposób uprzytomnienia sobie jakiejś myśli to przedstawić ją sobie obrazowo tak, jak gdyby dany przedmiot rzeczywiście ukazał się naszym oczom. Nasz wzrok rozpoznaje tylko to, co już istnieje w widzialnym świecie. Podobnie ma się rzecz z twoim umysłem, tyle że przenika on niewidzialne obszary ducha. Każda wizja w twojej wyobraźni kształtuje tworzywo twoich snów i dowodzi istnienia rzeczy niewidzialnych. Wytwory twojej fantazji istnieją w sposób równie rzeczywisty jak dowolna część twojego ciała. Idea i myśl istnieją naprawdę, i jeśli mocno i niezachwianie trzymać się będziesz danego wyobrażenia, pewnego dnia przybierze postać w widzialnym świecie.

Proces myślowy pozostawia duchowe wrażenia, które z kolei przybierają stałą postać i jako wydarzenia wkraczają w twoje życie. Właściciel budowy ma dokładne wyobrażenie o wymarzonym domu; oczyma duszy widzi go, nim jeszcze ruszy budowa. Jego wyobraźnia i myślenie stają się niejako formą odlewniczą dla tej budowli. Jego idee uwidacznia ołówek kreślarza. Przedsiębiorca budowlany sprowadza potrzebne materiały, robotnicy wznoszą budowlę, aż stanie gotowa – w pełnej zgodzie z wyobrażeniem właściciela i architekta.

Technikę obrazowego przedstawiania lubię stosować przed publicznymi prelekcjami. Uspokajam natłok myśli, aby bez przeszkód przekazać podświadomości upragnione wizje i wyobrażenia. Następnie wyobrażam sobie salę wykładową, co do ostatniego miejsca pełną ludzi oświeconych i przejętych ukrytą w nich zbawienną mocą. Widzę ich przed sobą wyzwolonych z wszelkiego cierpienia i promieniejących szczęściem.

Odmalowawszy sobie ten obraz aż po ostatnie szczegóły, trzymam się go, aby w umyśle usłyszeć szczęśliwe okrzyki, na przykład: „Wyzdrowiałem!", „Czuję się wspaniale!", „Wyzdrowiałem na miejscu!", „Coś mnie całkiem odmieniło!" itd. Wyobrażeniom tym oddaję się przez jakieś dziesięć minut, wiedząc z niewzruszoną pewnością, że umysł i ciało moich słuchaczy przepełnia miłość, zdrowie, piękno i doskonałość. Ten stan świadomości wydaje mi się tak prawdziwy, jak gdybym istotnie słyszał mnóstwo głosów wielbiących niespodziewany dar szczęścia i zdrowia. Na koniec pozwalam, by obraz stopniowo blakł i udaję się na mównicę. Jedynie nieliczne wykłady nie kończą się zapewnieniami rozpromienionych słuchaczy, że oto ich modlitwy zostały wysłuchane.

Metoda „filmu"

Chińczycy powiadają, że jeden obraz wart jest więcej niż tysiąc słów. Twórca amerykańskiej psychologii William James podkreślał z naciskiem, że podświadomość urzeczywistnia każde wyobrażenie utrwalone z niezachwianą wiarą. *„Postępuj tak, jakbym już tu był, a ja będę"*.

Parę lat temu odbywałem podróż z wykładami po kilku stanach środkowego Wschodu. Często prosiłem o centralnie położone locum, dzięki któremu mógłbym szybciej dotrzeć do wszystkich potrzebujących pomocy. Pragnienie owo towarzyszyło mi, kiedy pokonywałem długie trasy. Pewnego wieczoru w Spokane, w stanie Waszyngton, położyłem się w swoim pokoju dla odprężenia i wyłączyłem wszelkie świadome myśli. Będąc w stanie całkiem biernego odpoczynku wyobraziłem sobie, że stoję przed słuchaczami, do których odzywam się w następujących słowach: „Cieszę się, że tu jestem. Modliłem się o tę idealną sposobność." To wyimaginowane audytorium ukazało się moim duchowym oczom tak żywe, jak gdyby naprawdę istniało. Ujrzałem siebie jako głównego aktora w nierzeczywistym filmie. Wypełniło mnie przeświadczenie, że tym samym obrazy przenoszą się z mojej wyobraźni w podświadomość, która już po swojemu zadba o ich realizację. Nazajutrz rano obudziłem się przepełniony uczuciem bezgranicznego spokoju i satysfakcji. Parę dni później otrzymałem telegram z prośbą, bym podjął się kierowania pewną organizacją na środkowym Wschodzie. Uradowany chwyciłem się tej upragnionej okazji, by przez lata trudnić się tyleż korzystną, co satysfakcjonującą działalnością.

Opisana tutaj metoda spotkała się z dużym aplauzem wielu osób szukających u mnie rady. Nazwali ją „metodą filmu". W związku z moimi cotygodniowymi prelekcjami i audycjami w radio otrzymywałem dużo listów, w których opowiadano mi o niezwykłej skuteczności tej techniki przy sprzedaży nieruchomości. Dlatego też wszystkim, którzy chcą zbyć nieruchomość, radziłbym najpierw przekonać się co do stosowności żądanej ceny. Następnie powinni mocno uwierzyć, że powszechna mądrość sprowadzi im kupca, który od dawna pragnął takiego właśnie domu albo działki i którego to właśnie uszczęśliwi. Po czym najlepiej jest wprawić się w stan pełnego cielesnego i duchowego odprężenia, w rodzaj półsnu, w którym wszelkie świadome wysiłki ograniczą się do minimum. W owym półśnie powinna teraz pójść w ruch wyobraźnia. Pełni radości dzierżymy w duchu uzyskaną kwotę i z całego serca dziękujemy za pomyślny obrót rzeczy – a zatem jak najintensywniej wczuwamy się w tę rolę i w jak najmocniejszych barwach odmalowujemy spełnienie naszych pragnień. Najlepsze są do tego zwłaszcza ostatnie minuty przed snem. Trzeba udawać, że to najprawdziwsza rzeczywistość. Tylko wtedy bowiem podświadomość przyjmie i urzeczywistni to wyobrażenie. Obrazowe przedstawienie, utrwalone w umyśle z wiarą i z uporem, bezwzględnie się urzeczywistni.

Technika Baudoina

Wybitny psychoterapeuta Charles Baudoin, profesor francuskiego Instytutu im. Rousseau, kierował działem badawczym nowej szkoły terapeutycznej w Nancy. Już w 1910 roku uczył, że na podświadomość najłatwiej wpłynąć w stanie zbliżonym do snu, ograniczając do minimum wszelkie świadome wysiłki. Wprawiwszy się w taki stan, drogą czystej koncentracji umysłu wpajał podświadomości upragnione wyobrażenie. Swoją metodę ujął w następującą formułę: „Upragnione wyobrażenie najłatwiej i najskuteczniej można zasugerować podświadomości wtedy, kiedy zawrze się je w zwięzłym, łatwym do zapamiętania zdaniu i powtarza przed snem jak kołysankę".

Parę lat temu pewna młoda osoba w Los Angeles wplątała się w żmudny proces spadkowy. Mąż pozostawił jej cały majątek, ale jego córki i synowie próbowali wszelkimi sposobami unieważnić testament. Wtedy właśnie usłyszała o technice Baudoina. Zgodnie ze wskazaniem usiadła w wygodnym fotelu, odprężyła się fizycznie i psychicznie, wprawiła w stan półsnu i zawarła swoje pragnienie w następującym dobitnym zdaniu: „Wola Boża wszystko ułoży". Chciała przez to powiedzieć, że powszechna mądrość przejawiająca się w prawach podświadomości przyniesie harmonijne i polubowne rozwiązanie. Przez dziesięć kolejnych wieczorów wprawiała się w półsen, powoli, spokojnie, ale żarliwie powtarzając ciągle to samo stwierdzenie: „Wola Boża wszystko ułoży". Po czym z uczuciem wielkiego spokoju zapadała w głęboki, normalny sen. Jedenastego dnia rano zbudziła się z uczuciem niewymownej fizycznej błogości. Nie mogła już wątpić, że wola Boża wszystko ułożyła. Jeszcze tego samego dnia dowiedziała się od adwokata, że strona przeciwna chciałaby zawrzeć ugodę. Niebawem proces zakończył się polubownie.

Technika „półsnu"

W stanie półsnu wyłączają się wszelkie świadome wysiłki. To właśnie tuż przed zaśnięciem i zaraz po przebudzeniu świadomość jest najmniej aktywna, a podświadomość najbardziej chłonna. W tym też stanie należy się jak najmniej przejmować myślami negatywnymi, które kiedy indziej hamują dynamikę pragnień, uniemożliwiając podjęcie ich przez podświadomość.

Załóżmy, że chcesz wyzwolić się z jakiegoś nałogu. Przybierz wygodną pozycję, odprężając ciało i umysł. Wprowadziwszy się w rodzaj półsnu, powtarzaj z całym wewnętrznym i zewnętrznym spokojem jedną myśl, jakbyś chciał, by cię ukołysała do snu: „Wyzwoliłem się z nałogu; odzyskałem w pełni wewnętrzną równowagę i spokój ducha". Codziennie rano i wieczorem powoli, spokojnie i żarliwie powtarzaj to zdanie przez pięć albo dziesięć minut. Za każdym razem emocjonalna skuteczność tych słów będzie rosła. Gdy tylko pojawi się zagrożenie, że ponownie możesz wpaść w dawny nałóg, powtarzaj tę formułkę na głos. W ten sposób skłonisz podświadomość do przyjęcia tej myśli, a szybko doczekasz wyzwolenia od nałogu.

Technika „dziękczynienia"

Święty Paweł radzi nam wypowiadać życzenia z dziękczynieniem i uwielbieniem. Taki sposób modlitwy prowadzi do wielkich sukcesów. Serce przepełnione wdzięcznością jest szczególnie otwarte na twórcze moce wszechświata, prawo akcji i reakcji zaś wyzwala dobroczynną wzajemność.

Młody człowiek, któremu za zdanie trudnego egzaminu ojciec przyrzeka samochód, słusznie czuje się uszczęśliwiony i wdzięczny, jak gdyby już dostał ten prezent. Wie przecież, że ojciec dotrzyma obietnicy. Żyje więc w błogim oczekiwaniu, w czysto duchowym sensie będąc już szczęśliwym i wdzięcznym posiadaczem samochodu.

Pozwolę sobie na innym przykładzie ukazać, jak świetne skutki potrafi dać ta technika. Mój znajomy, pan Broke, powiedział sobie pewnego dnia: „Piętrzą się rachunki, nie mogę znaleźć posady, mam troje dzieci, a pieniądze się kończą. Co robić?" Przez jakieś trzy tygodnie każdego ranka i wieczora powtarzał: „Ojcze niebieski, dziękuję Ci za dobrobyt". Robił to w stanie pełnego odprężenia i wewnętrznej równowagi. Zwracał się wprost do ukrytej w nim powszechnej mądrości i mocy niczym do człowieka. Wiedział oczywiście dobrze, że nieskończony umysł twórczy wymyka się postrzeganiu zmysłowemu. Widział więc w duchu żywe wyobrażenie materialnego dobrobytu, wierząc, że ten wytwór fantazji nieuchronnie wywoła pożądany efekt, a mianowicie odpowiednią posadę, zarobki i dostatek. Jego myślenie i odczuwanie skupiało się bez reszty na wizji bezpieczeństwa życiowego i stabilizacji. Nieustanne powtarzanie: „Ojcze niebieski, dziękuję Ci za dobrobyt", przepełniło go ufnością i uwolniło od przygnębienia. Wiedział, że jeśli tylko zachowa postawę pełną niezachwianej wdzięczności, jego umysł przywyknie do materialnego bezpieczeństwa i zamożności. I co się stało? Spotkał na ulicy dawnego pracodawcę, którego nie widział od dwudziestu lat, a ten zaproponował mu dobrze płatną posadę i wręczył pięćset dolarów zaliczki. Dziś pan Broke jest wiceprezesem spółki. Powiedział mi niedawno: „Nigdy nie zapomnę cudotwórczej mocy dziękczynienia – bo sam tej mocy zaznałem".

Technika „pozytywnego twierdzenia"

Technikę tę inspirowały słowa: *„Modląc się nie paplajcie od rzeczy"*. Prawdziwa siła pozytywnego twierdzenia polega na rozważnym podkreślaniu prawd obiektywnych. Trzy plus trzy to sześć, a nie siedem, jak potrafi „wyliczyć" mały chłopczyk, któremu potem nauczyciel uświadamia błąd. Fakt jednak, że trzy plus trzy to sześć, nie bierze się ze stwierdzenia nauczyciela, lecz jest prawem matematyki. Chłopczyk stosuje się więc do obiektywnych prawd, a nie do czysto subiektywnego poglądu nauczyciela.

Podobnie jest w życiu – zdrowie ludzkie jest stanem normalnym, choroba zaś nienormalnym. Być naprawdę to być zdrowym. A przekonanie, że zdrowie, harmonia i spokój to uniwersalne zasady bytu, koryguje negatywne zachowania twojej podświadomości.

Powodzenie tej afirmatywnej metody – którą człowiek wierzący urzeczywistnia w modlitwie – zależy od tego, czy będziesz się trzymać wyłącznie zasad życia, nie bacząc na pozory. Załóżmy, że istnieje prawo matematyki, ale bez możliwości błędu, że istnieje prawo prawdy bez niej samej; że zapanuje zasada powszechnego rozumienia, nie istnieje zaś niewiedza; istnieje zasada harmonii, nie ma jednak niezgody. Tak też w rzeczywistości istnieje prawo zdrowia, nie ma natomiast zasady stanowiącej o chorobie; działa prawo bogactwa, nie zaś prawo ubóstwa.

Ja sam stosowałem tę afirmatywną metodę, kiedy mojej siostrze w pewnym angielskim szpitalu operowano pęcherzyk żółciowy. Badania kliniczne i rentgenologiczne wskazywały na pilną potrzebę takiego zabiegu. Prosiła, żebym się za nią modlił. Geograficznie biorąc, dzieliło nas dziesięć tysięcy kilometrów – dla zasady umysłu nie istnieje jednak czas ani przestrzeń. Nieskończony, powszechny umysł jest obecny w każdym miejscu i w każdym czasie.

Unikałem starannie myśli o chorobie siostry i w ogóle o jej fizycznej postaci. Wygłaszałem pozytywne twierdzenie: „Oto modlitwa za moją siostrę Katarzynę. Siostra jest całkiem odprężona, w zgodzie ze sobą i światem, zrównoważona, spokojna i pogodna. Uzdrowieńcza mądrość jej podświadomości, która stworzyła jej ciało, przemienia w tej chwili każdą komórkę, każdy nerw, każdą tkankę, każdy mięsień i każdą kość, układa wszystkie atomy ciała zgodnie z doskonałym wzorcem, jaki przechowuje. Coś niepostrzeżenie wypiera z jej podświadomości wszelkie uprzedzenia, a zasada życia tchnie w jej ciało witalność, pełnię i piękno. Całą istotą otwiera się przed uzdrowicielską mocą, która przepłynie przez jej całe ciało, darząc ją na nowo zdrowiem, harmonią i spokojem. Miłość i spokój gaszą teraz wszelkie szkodliwe myśli i wyobrażenia. Tak dzieje się i nie inaczej."

Z głębokim przekonaniem powtarzałem to po kilka razy dziennie. Po dwóch tygodniach lekarze z osłupieniem stwierdzili, że siostra wyzdrowiała, co potwierdziły zdjęcia rentgenowskie.

„Twierdzić" to przecież nic innego jak uznawać, że coś jest takie a nie inne. Jeśli zachowamy tę postawę, wtedy modlitwa zostanie wysłuchana. Myśląc, człowiek stwierdza; nawet przeczenie jest twierdzeniem. Ktoś, kto ze świadomą intencją stale powtarza swoje twierdzenie, wprawia się w stan, w którym umysł przyjmuje za prawdę wszelkie poczynione stwierdzenia. Trzymaj się zatem niezachwianie prawd życia i stwierdzaj je tak długo, aż nastąpi pożądana reakcja podświadomości.

Metoda „dowodu"

Nazwa tej techniki mówi sama za siebie. Wywodzi się ona od metody stosowanej przez dra Phineasa Parkhursta Quimby'ego. Dr Quimby, prekursor uzdrowicielstwa duchowo-psychicznego, żył i praktykował około stu lat temu w Belfaście (stan Maine). Jego pamiętniki, wydane przez Horatio Dressera, ukazały się w 1921 roku nakładem Crowell Company w Nowym Jorku. Książka ta zawiera też relacje o ciekawych sukcesach uzdrowicielskich Quimby'ego, uważanego za uzdrowiciela leczącego modlitwą. Dokonywał on wielu uzdrowień opisywanych w Biblii jako cudowne. Metoda dowodu polega, według Quimby'ego, na tym, aby logicznie dowieść samemu sobie i pacjentowi, że choroba jest wyłącznie skutkiem jego niezrozumienia wiary, bezzasadnych obaw oraz negatywnych myśli i wyobrażeń. Tylko ktoś, kto sam zrozumie rzeczywiste zależności, zdoła przekonać pacjenta, że jego dolegliwości to jedynie fizyczny przejaw destruktywnych nawyków myślowych, że przybierają one postać choroby, ponieważ pacjent niesłusznie uwierzył w jej zewnętrzne przyczyny, że łatwo położyć jej kres przez odpowiednią zmianę postawy.

A zatem objaśniamy choremu, że wystarczy, by zmienił postawę umysłu, a ozdrowieje; że to podświadomość stworzyła ciało i wszystkie jego narządy. A kto wie o swoim dziele więcej niż jego twórca? Tłumaczymy pacjentowi, że dzięki temu podświadomość sama najlepiej potrafi usunąć szkodę; że zaczyna go ona uzdrawiać, zanim jeszcze zdążymy wymówić te słowa. W ten sposób przed stołem sędziowskim umysłu wygłaszamy, niczym adwokat, mowę o tym, że choroba to jedynie cień chorobliwego świata wyobrażeń. Trzeba ukuć jak najspójniejszy łańcuch dowodów na istnienie tej wewnętrznej uzdrowicielskiej siły, która stworzywszy wszelkie narządy, zna doskonały wzorzec każdej komórki, każdego nerwu i każdej tkanki. Twoja wiara i zdolność wczuwania się oczyszcza pacjenta z zarzutu, jakim jest jego dolegliwość. Twoje dowody są przytłaczające; ponieważ zaś istnieje tylko jeden, wspólny ludziom powszechny umysł, twoja pewność przeniesie się na chorego, działając na niego ozdrowieńczo. Taka metoda uzdrowicielska odpowiada w głównym zarysie terapii, jaką w latach 1849–1869 stosował dr Quimby.

Metoda „absolutna"

Tę formę terapii modlitwą stosuje ze znakomitym skutkiem wielu ludzi na całym świecie. Terapeuta wypowiada nazwisko pacjenta i oddaje się rozważaniu o Bogu. Roztacza przed sobą, na przykład, taką wizję: „Bóg jest źródłem wszelkiej szczęśliwości, jest nieskończoną miłością, zrozumieniem, wszechmocą, mądrością, doskonałą harmonią, Bóg jest doskonałością!" Moc owych cichych medytacji podnosi jego świadomość na wyższy poziom, przestawia umysł na inną „długość fal". Czuje, jak miłość Boża gasi w umyśle i ciele pacjenta wszystko, co z nią sprzeczne, jak pierzcha wszystko, co złe i negatywne, jak nikną dolegliwości i troski.

Tę absolutną metodę modlitwy porównać można z terapią ultradźwiękami, jaką demonstrował mi niedawno pewien słynny lekarz z Los Angeles. Ma on aparat wytwarzający niezwykle szybkie drgania, których fale skierować można na odpowiednią część ciała. Owe ponaddźwiękowe fale stosował ze znakomitym skutkiem do rozpuszczania artretycznych złogów wapiennych i usuwania innych stanów bólowych.

Im wyższy jest poziom świadomości, na jaką dźwignie nas rozważanie o Bogu, tym częstsze i mocniejsze są fale duchowe płynącego z nas zdrowia, harmonii i spokoju. Ten rodzaj terapii modlitwą prowadził do niezwykłych uzdrowień.

Kaleka kobieta znów chodzi

Dr Phineas Parkhurst Quimby, o którym już mówiliśmy w tym rozdziale, stosował metodę absolutną zwłaszcza w ostatnich latach działalności. Był on rzeczywistym twórcą medycyny psychosomatycznej i pierwszym psychoanalitykiem. Umiał niczym jasnowidz rozpoznawać u pacjentów przyczyny chorób, bólów i dolegliwości.

Poniższą skrótową relację o uzdrowieniu pewnej kalekiej kobiety zaczerpnęliśmy ze wspomnień dra Quimby'ego:

Wezwano go do domu pewnej sparaliżowanej i obłożnie chorej staruszki. Uznał jej chorobę za skutek bardzo ciasno pojętej wiary, która zauroczywszy jej ciało, nie pozwalała kobiecie wstawać ani chodzić. Żyła ona w ustawicznym strachu i niewiedzy. Popadała w lęki na skutek zbyt dosłownych interpretacji Biblii. „Umysł i Boża potęga", powiada dr Quimby, „próbowały rozerwać te kajdany, odwalić kamień z grobu i zmartwychwstać". Każde miejsce w Biblii, które jej ktoś objaśniał, stawało się dla niej źródłem głębokich zmartwień, zamiast być płodnym ziarnem. A jednak głodna była życia. Dr Quimby postawił diagnozę, że jest to zamroczenie umysłu, w którym stany podniecenia i lęku wynikały z trudności zrozumienia jakiegoś miejsca w Biblii. Ów stan ducha przejawiał się fizycznie uczuciem ciężkości i ospałości, które nasiliło się aż po paraliż.

Zrozumiawszy to, dr Quimby zapytał chorą, co jej zdaniem oznacza miejsce: *„Jeszcze krótki czas jestem z wami, a potem pójdę do Tego, który Mnie posłał. Będziecie mnie szukać, a nie znajdziecie, a tam, gdzie Ja będę potem, wy wejść nie możecie."* (J 7,33–34) Odpowiedziała, że miejsce to opowiada o wniebowstąpieniu Chrystusa. Wtedy dr Quimby podał jej bardzo osobistą i trafną w danej sytuacji własną interpretację. Wyjaśnił, że *„Jeszcze krótki czas jestem z tobą"* oznacza ten czas, który on poświęca badaniu przyczyn jej choroby i jej uczuć – innymi słowy, że współczując z nią, nie może jednak dłużej trwać w tym stanie. Następnym krokiem będzie pójście *„do Tego, który go posłał"*, co oznacza drzemiącą we wszystkich ludziach twórczą moc Bożą.

Zarazem dr Quimby wyobraził sobie boski ideał, czyli działającą w chorej witalność, harmonię, mądrość i moc Bożą. Powiedział kobiecie: „Tam, dokąd idę, pani pójść nie może; panią przykuwa do łóżka własna wiara, a ja jestem zdrowy". Modlitwa i te słowa wyzwoliły w staruszce natychmiastową reakcję fizyczną, a równie dramatyczna przemiana nastąpiła w jej umyśle: podniosła się i poszła bez kul.

Dr Quimby nazwał to jednym ze swoich najciekawszych sukcesów uzdrowicielskich. Prawda stała się dla tej kobiety zmartwychwstaniem – jak gdyby biblijnym aniołem, który odsunął ciężar strachu, niewiedzy i przesądów z grobu, w jakim żyła. To dlatego dr Quimby mówił jej o zmartwychwstaniu Chrystusa, wiążąc to wydarzenie z jej zdrowiem.

Metoda „postanowień"

Siła słowa zależy od twojej wiary. Wystarczy zatem, żebyśmy uświadomili sobie, że moc, która kieruje światem, działa dla nas i nadaje wagę naszym słowom. Myśl o tym przysporzy nam ufności i pewności siebie. Chodzi przecież o to, żeby połączyć własną moc z mocą Bożą – dlatego wszelka duchowa przemoc jest nieporozumieniem.

Pewna młoda dziewczyna zastosowała metodę postanowień wobec młodego człowieka, który stale naprzykrzał się jej prośbami o randkę i przychodził po nią do biura. W żaden sposób nie mogła się go pozbyć. Pewnego dnia sformułowała więc następujące postanowienie: „Daję mu swobodę i powierzam go boskiej opiece. Jestem wolna i on jest wolny. Moje słowa znajdą oddźwięk, powszechna mądrość wykona moje postanowienie. Tak jest i nie inaczej." Mówiła mi, że więcej się nie odezwał.

„Zamiary swe przeprowadzisz, na drodze twej światło zabłyśnie" (Job 22,28).

STRESZCZENIE

1. Zostań architektem własnego umysłu, by używając sprawdzonych technik zbudować lepsze i szlachetniejsze życie.

2. Twoje pragnienie jest modlitwą. Wyobraź sobie w plastyczny sposób, że ono już się urzeczywistniło – a modlitwa będzie wysłuchana.

3. Wyraź życzenie, byś doszedł do celu – z niezawodną pomocą nauki o umyśle.

4. Ze scen, jakie wypróbowałeś w umyśle, zbuduj życie promieniejące zdrowiem, powodzeniem i pomyślnością.

5. Prowadź eksperymenty naukowe, aż sam sobie dostarczysz dowodu, że powszechna mądrość podświadomości zawsze reaguje bezpośrednio na twoje świadome myślenie.

6. W niezmąconym oczekiwaniu na spełnienie pragnień niech przepełnia cię szczęście i radość. Każde wyobrażenie w twoim umyśle stanowi tworzywo twoich pragnień i dowodzi istnienia rzeczy niewidzialnych.

7. Jedno wyobrażenie jest więcej warte niż tysiąc słów. Twoja podświadomość urzeczywistni każdy obraz, który z wiarą utrwali się w umyśle.

8. W modlitwie unikaj gwałtownych wysiłków umysłu i nie próbuj niczego wymuszać. Wprawiaj się w półsen i kołysz się do snu pewnością, że twoja modlitwa będzie wysłuchana.

9. Pamiętaj, że serce przepełnione wdzięcznością otwiera się na dobrodziejstwa wszechświata.

10. „Twierdzić" to uznawać, że coś jest takie a nie inne. Obstawaj przy tym, choćby przeczyły temu pozory – a doczekasz wysłuchania swoich modlitw.

11. Wytwarzaj fale harmonii, zdrowia i spokoju, medytując o miłości i chwale Bożej.

12. Zdarzy się to, co postanowisz i uznasz za słuszne. Wybierz zatem harmonię, zdrowie, spokój, pomyślność i dostatek.

Rozdział 7

Podświadomość w służbie życia

Przeszło dziewięćdziesiąt procent życia duchowego zachodzi na poziomie podświadomości. Dlatego ludzie, którzy rezygnują z wykorzystania tej niezwykłej mocy, zawężają swoje możliwości życiowe.

Podświadomość stara się zawsze służyć życiu i działać konstruktywnie. Buduje ciało i dba o niezakłócony przebieg wszystkich funkcji życiowych. Pracuje nieustannie dzień i noc, pomagając nam i chroniąc nas od szkód.

Twoja podświadomość pozostaje w łączności z powszechnym życiem i mądrością. Wszystkie jej bodźce i myśli służą życiu. Szlachetne dążenia, nagłe olśnienia i wielkie wizje wyłaniają się zawsze z podświadomości. Swoich najgłębszych przekonań nie potrafisz ująć słowami albo rozumowo uzasadnić – pochodzą bowiem nie ze świadomości, ale z podświadomości. To ona mówi do ciebie głosem intuicji, impulsu, przeczucia, instynktownej potrzeby i twórczej idei. Coś ciągle domaga się, abyś szedł naprzód, osiągał coraz to nowe cele, wznosił się na coraz śmielsze wyżyny. Podszepty miłości, wewnętrzny nakaz narażania życia za innych wypływają również z głębi twojej podświadomości. 18 kwietnia 1906 roku podczas katastrofalnego trzęsienia ziemi w San Francisco chorzy i kalecy przykuci od wielu lat do łóżka wstawali, by dokonywać istnych cudów męstwa i wytrwałości. Obudził się w nich nieprzeparty nakaz ratowania bliźnich, na który odpowiednio zareagowała podświadomość.

Wielcy artyści, muzycy, poeci, mówcy i pisarze szukają kontaktu z siłami własnej podświadomości, właśnie z niej czerpiąc natchnienie. Na przykład Robert Louis Stevenson przed pójściem spać regularnie zlecał podświadomości, by we śnie wymyślała dla niego historie. Robił tak zazwyczaj, kiedy pustoszało jego konto bankowe. Opowiadał, że podświadomość podszeptywała mu opowiadania po kawałku, jak gdyby była to powieść w odcinkach. Świadczy to o tym, że podświadomość ma głęboką wiedzę i wiele płodnych pomysłów, których wcale nie przeczuwa świadomość.

Każdemu, kto miał ochotę słuchać, Mark Twain opowiadał, że przez całe życie nie kiwnął nawet palcem, a cały humor i wszystkie utwory zawdzięcza pomysłowej podświadomości.

Fizyczne reakcje na procesy duchowe

Współzależność podświadomości i świadomości wymaga podobnej relacji obu odpowiednich systemów nerwowych. System mózgowo-rdzeniowy stanowi tutaj narząd nerwowy świadomości, system współczulny zaś – podświadomości. Nerwy w mózgu i w kręgosłupie tworzą kanał, którym pięć zmysłów doprowadza doznania fizyczne do świadomości; jednocześnie stanowią one narzędzie, dzięki któremu człowiek steruje ruchami ciała. Ośrodek tego systemu nerwowego znajduje się w mózgu i jest źródłem każdej zamierzonej i świadomej pracy umysłowej.

Układ współczulny zaś, na który ludzka wola nie ma wpływu, ma swój ośrodek w splocie zwojów nerwowych, znanym pod nazwą splotu słonecznego, zwanego też „mózgiem podświadomości”. Stanowi on ośrodek tych procesów umysłowych, które podświadomie sterują wszystkimi żywotnymi funkcjami organizmu.

Obydwa te systemy mogą pracować i osobno, i razem. W książce „The Edinburgh Lectures on Mental Science" Thomas Troward powiada tak: „Nerw błędny (główny nerw układu przywspółczulnego) wychodzi z rejonu mózgu jako część świadomego systemu nerwowego i w tym miejscu kontroluje narządy głosu. W dalszej drodze przez jamę piersiową nerw ten wysyła boczne odgałęzienia do serca i płuc. W drodze przez przeponę nerw błędny gubi zewnętrzną warstwę, jaka cechuje nerwy systemu świadomego, i przybiera wygląd nerwów układu współczulnego. Tworzy on zatem ogniwo łączące oba systemy i stanowi o fizycznej spójności człowieka.

Podobne zróżnicowanie części mózgu świadczy o ich powiązaniu ze świadomymi czynnościami, z jednej strony, a podświadomymi – z drugiej. Z grubsza biorąc, przednią część mózgu przyporządkować można świadomości, a tylną – podświadomości; środkowa część natomiast również pod względem funkcji zajmuje miejsce pośrednie między tymi dwiema."

W dużym uproszczeniu relację między umysłem a ciałem przedstawić można następująco: myśl powzięta przez świadomość wywołuje odpowiednie drganie w układzie mózgowo-rdzeniowym. Drganie to powoduje podobny bodziec w podświadomym układzie nerwowym, przez co myśl zostaje przekazana podświadomości – czyli rzeczywistemu medium twórczemu. W ten sposób materializują się wszystkie myśli.

Każdą myśl, którą twoja świadomość uzna za słuszną, mózg przekazuje do splotu słonecznego, czyli do centrali podświadomości – a ona realizuje to wyobrażenie pod postacią fizycznej reakcji, wydarzenia lub sytuacji życiowej.

Potrzeby ciała postrzega odrębna inteligencja

W trakcie badania systemów komórkowych i struktury poszczególnych organów (jak na przykład: oczu, uszu, serca, wątroby, pęcherza i in.) okazało się, że składają się one z grup komórek kierowanych odrębną inteligencją, która pozwala im wspólnie działać w określonym celu, dedukcyjnie rozumieć polecenia centrali umysłowej (świadomości) oraz je wykonywać.

Dokładne badania istot jednokomórkowych pozwalają wyciągać wnioski co do znacznie bardziej skomplikowanych procesów zachodzących w ciele człowieka. Choć organizm jednokomórkowy nie posiada narządów, wykazuje jednak pewne procesy i reakcje umysłowe, kierujące funkcjami życiowymi: ruchem, odżywianiem, przemianą pokarmu i wydalaniem.

Często wysuwano przypuszczenie, że istnieje inteligencja, która postrzegałaby potrzeby ciała w sposób doskonały, gdyby tylko pozostawiono jej pełną swobodę. Pogląd ten jest całkowicie słuszny, kłopot jednak w tym, że świadomość, przetwarzająca doznania zmysłowe, wtrąca się i wywołuje zamieszanie błędnymi poglądami, bezzasadnymi lękami i niesłusznymi postawami. A kiedy już wskutek psychologicznych i emocjonalnych odruchów takie negatywne myśli i wyobrażenia wryją się w podświadomość, nie pozostaje jej nic innego, jak wiernie i drobiazgowo wykonać zalecenia świadomości.

Podświadomość działa stale dla dobra ogólnego

Ukryta w tobie subiektywna jaźń działa nieustannie dla dobra ogólnego, próbując urzeczywistnić wrodzoną wszystkim istotom zasadę harmonii. Podświadomość istnieje najzupełniej realnie i ma własną wolę. Obojętne, czy myślisz o niej świadomie czy nie, ona pracuje dzień i noc. Buduje twoje ciało, choć tego nie widzisz, nie czujesz ani nie słyszysz. Twoja podświadomość żyje własnym życiem, które niestrudzenie dąży do harmonii, zdrowia, pomyślności i spokoju. Jest to bowiem prawdziwa Boża norma postępowania, która wciąż usiłuje wyrazić się w człowieku.

Jak człowiek zakłóca wrodzoną zasadę harmonii

Chcąc myśleć poprawnie, czyli naukowo, powinniśmy znać „prawdę". To zaś znaczy, po prostu – żyć w zgodzie z bezgraniczną mądrością i siłą podświadomości, która przecież zawsze służy życiu.

Ktoś, kto z niewiedzy albo z rozmysłem zakłóca tę harmonię myślą, słowem lub czynem, ponosi karę, jaką jest niezgoda, ograniczenia i cierpienia.

Nauka dowiodła, że w ciągu 11 miesięcy organizm ludzki całkowicie się odnawia. Z fizycznego punktu widzenia masz zatem najwyżej 11 miesięcy. Kiedy więc lękliwymi, gniewnymi, zazdrosnymi i wrogimi myślami zaszczepiasz odradzającemu się wciąż ciału ujemne tendencje, jesteś sam sobie winien.

Człowiek stanowi sumę swoich myśli i wyobrażeń; to, czy powstrzymasz się od tych negatywnych, zależy od ciebie. Ciemność płoszymy światłem, chłód ciepłem, negatywne myśli zaś wyłącza się najskuteczniej przez myślenie pozytywne. Obstawaj z naciskiem przy dobru, a zło zniknie!

Dlaczego normą są witalność, zdrowie i siła, a odstępstwem od normy choroba

Większość dzieci przychodzi na świat całkowicie zdrowych; każdy narząd ich ciała bezbłędnie spełnia swoje zadania. Oto właśnie normalność; właściwie przez całe życie powinniśmy zachować takie samo zdrowie, witalność i siłę. Instynkt samozachowawczy jest w naturze ludzkiej najsilniej rozwinięty, stanowiąc nader skuteczne, stale obecne i czynne prawo natury. Dlatego oczywiste jest, że wszystkie twoje myśli, idee i wyobrażenia osiągają największą skuteczność właśnie wtedy, kiedy zgodne są z ukrytą w tobie zasadą życia, która wciąż stara się tobie przydać. Dlatego też o wiele łatwiej przywrócić ciału normalny stan niż zmusić je do nienormalnych reakcji.

Każda choroba i cierpienie są sprzeczne z naturą; człowiek chory myśli negatywnie i płynie pod prąd życia. Prawem życia jest prawo wzrostu – o działaniu tego prawa świadczy cała natura, co wyraża ciągłym cichym wzrastaniem. Tam, gdzie spotykamy samourzeczywistnienie i wzrost, tam musi być i życie. A gdzie jest życie, tam panuje harmonia; a gdzie harmonia, tam pełnia zdrowia.

Dopóki twoje myślenie nie kłóci się z twórczą zasadą podświadomości, dopóty jesteś w zgodzie z wrodzoną zasadą harmonii. Kiedy tylko myśli zboczą z tej drogi, stają się niepokojącym, ba, szkodliwym brzemieniem, pociągając za sobą chorobę lub nawet śmierć.

Przy każdym leczeniu musisz dbać o pomnożenie sił witalnych i ich skuteczne rozłożenie w całym organizmie. Najlepiej dokonać tego przez całkowite wyłączenie lęków, trosk, zazdrości, wrogości czy jakichkolwiek innych negatywnych myśli, które w przeciwnym razie niszczą ci nerwy i gruczoły, czyli tkanki, które zajmują się wydalaniem produktów odpadu.

Uzdrowienie z gruźlicy rdzenia kręgowego

W marcu 1917 roku czasopismo „Nautilus" opublikowało artykuł o niezwykłym uzdrowieniu chłopca cierpiącego na gruźlicę rdzenia kręgowego. Nazywał się Frederik Elias Andrews, pochodził z Indianapolis, a obecnie jest duchownym i wykładowcą Unity School of Christianity w Kansas City (stan Missouri). Lekarz uznał jego chorobę za nieuleczalną. Wtedy chłopiec zaczął się modlić – aż garbaty, zniekształcony kaleka chodzący na czworakach zmienił się w silnego i postawnego mężczyznę. Układał sobie w wyobraźni wymarzoną wizję siebie, po czym duchowymi środkami zdobywał te fizyczne właściwości, których mu poskąpiono.

Wiele razy w ciągu dnia powtarzał następujące słowa: „Jestem całkiem zdrów i sprawny, silny, życzliwy, zrównoważony i szczęśliwy". Nic nie było w stanie zbić go z tropu;

opowiadał, że odmawiał tę modlitwę pierwszą po przebudzeniu i ostatnią przed zaśnięciem. W modlitwie pamiętał też o innych chorych. Jego upór, wiara i chrześcijańska miłość bliźniego przyniosły stokrotny owoc. Kiedy tylko groziło, że owładnie nim lęk, złość albo zazdrość, zaczynał zwalczać te myśli całą siłą swojej pozytywnej postawy. Podświadomość zareagowała w pełnej zgodzie z jego nowym, pozytywnym nawykiem myślowym. Taki jest też prawdziwy sens biblijnego cytatu: *„Idź, twoja wiara cię uzdrowiła”* (Mk 10,52).

Jak wiara w siłę podświadomości uzdrawia

Pewien młody człowiek, który uczęszczał na moje wykłady o uzdrowicielskiej sile podświadomości, dotknięty był ciężką wadą wzroku, którą zdaniem specjalistów usunąć mogłaby tylko operacja. On jednak powiedział sobie: „Podświadomość stworzyła moje oczy, więc potrafi je też wyleczyć!”

Co wieczór przed zaśnięciem wprawiał się w rodzaj transu. Skupiał myśli i wyobraźnię na osobie okulisty. Wyobrażał sobie, że lekarz staje przed nim, po czym głośno i wyraźnie powiada: „Stał się cud!” Scenę tę przywoływał co wieczór przed zaśnięciem przez jakieś pięć minut. Po trzech tygodniach znowu zgłosił się do specjalisty, a on po długim, starannym badaniu stwierdził: „Toż to cud!”

Co się zdarzyło? Młody człowiek skutecznie wpłynął na swoją podświadomość, używając lekarza jako środka albo medium, które pozwoli przenieść jego pragnienie do głębszych warstw świadomości. Poprzez stałe powtarzanie, niezachwianą wiarę i ufność przepełnił podświadomość wyobrażeniem o swoich pragnieniach. To przecież ona stworzyła jego oczy; ona znała ich doskonały wzorzec, dzięki czemu przyniosła mu ozdrowienie. Oto kolejny przykład, jak wiara wyzwala uzdrowicielską moc podświadomości.

STRESZCZENIE

1. Twoje ciało stworzyła podświadomość, która dzień i noc stoi na posterunku. Myśleniem negatywnym zakłócasz jej czynności, dające i podtrzymujące życie.

2. Przed zaśnięciem wyznacz podświadomości zadanie rozwiązania jakiegoś problemu, a nie będziesz na nie długo czekać.

3. Poświęcaj należytą uwagę własnym nawykom myślowym. Twój mózg prześle każdą myśl, jaką uznasz za słuszną, do splotu słonecznego – czyli do centrum podświadomości – i urzeczywistni ją w twoim życiu.

4. Przyjmij jako bezsporny fakt to, że możesz się gruntownie zmienić fizycznie i psychicznie, przedkładając podświadomości odpowiedni nowy „plan budowy".

5. Twoja podświadomość zawsze służy życiu. Ulega jednak wpływowom świadomości. Ukazuj więc podświadomości tylko pozytywne założenia i prawdziwe stany rzeczy. Podświadomość reaguje przecież wiernie na twoje myśli i wyobrażenia.

6. Co jedenaście miesięcy ciało ludzkie odnawia swoją materię. Zorganizuj więc sobie ciało od nowa przez trwałą i pozytywną zmianę postawy.

7. Zdrowie jest normą, choroba odstępstwem od niej. We wszystkich istotach tkwi zasada harmonii.

8. Myśli naznaczone zazdrością, lękiem, troską albo wrogością niszczą nerwy i gruczoły, pociągając za sobą wszelkiego rodzaju duchowe i fizyczne cierpienia.

9. To, co świadomie twierdzisz i uznajesz za słuszne, przybierze postać w twoim umyśle, ciele i w życiu. Stwierdzaj rzeczy dobre, a życie będzie dla ciebie radością.

Rozdział 8

Jak urzeczywistnić cel

Niepowodzenie wytłumaczyć można zazwyczaj jedną z następujących przyczyn: brakiem pewności i nadmiernym wysiłkiem. W wielu wypadkach niezrozumienie istoty i działania podświadomości sprawia, że modlitwa nie zostaje wysłuchana. Wiedza o działaniu podświadomości daje zarazem niezachwianą ufność. Pamiętaj: kiedy podświadomość przyjmie jakąś ideę, natychmiast przystępuje do jej urzeczywistniania. Angażując swoje niewyczerpane środki, zaczyna działać po swojemu. Oto fizyczne i psychiczne prawo, które dotyczy zarówno dobrych, jak i złych myśli. Kiedy to prawo zastosujesz niewłaściwie, czyli negatywnie, skutek będzie niekorzystny; kiedy pozytywnie, przyniesie dobrą radę, spokój ducha i wyzwolenie od cierpień.

Myślenie pozytywne prowadzi nieomylnie do celu. Można stąd wyciągnąć prosty wniosek, że przyjęcie pożądanych wyobrażeń przez podświadomość wyklucza niepowodzenie. Wystarczy, żebyś sobie wyobraził realizację swojej idei albo sprawy, a o resztę zadba zwykłe działanie umysłu. Możesz zatem ufnie powierzyć podświadomości problem, a ona znajdzie bezbłędne rozwiązanie.

Wytężanie umysłu „na siłę" po to, aby coś wymusić, nigdy nie daje wyniku. Podświadomość reaguje tylko na mocne i głębokie przekonanie w świadomości.

Niektóre porażki tłumaczyć można też utartymi ogólnikami w rodzaju: „Z dnia na dzień coraz gorzej ze mną!", „Dla mnie nie ma już wyjścia!", „Tu nie ma mocnych!", „Beznadziejna sprawa!", „Nie wiem, co robić!", "Głowa mi wysiada!" Takimi formułkami trudno raczej obudzić moce podświadomości. Myśląc w ten sposób drepczesz w miejscu, ani o krok nie zbliżając się do celu.

Jeśli jadąc taksówką przez pięć minut sześć razy zmienisz kierunek jazdy, zdezorientowany taksówkarz nie zechce cię w końcu dalej wieźć. Tak samo może być z podświadomością. Najpierw musisz mieć wyraźnie zarysowaną ideę albo wyobrażenie. A zaraz potem niezachwianą pewność, że istnieje wyjście albo ratunek. Tylko twoja mądra podświadomość zna rozwiązanie. Kiedy świadomość zdobędzie się na zrozumienie tego, wszystko zacznie dziać się wedle twojej wiary.

Odprężenie jest kluczem do sukcesu

Pewien właściciel domu zażądał kiedyś, aby mechanik wyjaśnił mu, dlaczego za naprawę kotła centralnego ogrzewania policzył dwieście dolarów, chociaż wymienił tylko jedną śrubkę wartą w najlepszym razie pięć centów. Hydraulik odparł: „Cóż, za śrubkę policzyłem pięć centów – a sto dziewięćdziesiąt dolarów i dziewięćdziesiąt pięć centów za to, że wiedziałem, gdzie ją wkręcić".

Ze znakomitym mechanikiem można porównać twoją podświadomość, która zna wszelkie sposoby, aby przywrócić ci zdrowie i ułożyć twoje sprawy. Twoja podświadomość zatroszczy się o zdrowie dla Ciebie, kiedy tylko go zażądasz. Nie należy jednak zapominać, że kluczem do sukcesu jest odprężenie. Ani przez chwilę nie myśl o tym, jak spełni się twoje życzenie; myśl o tym, że właśnie się urzeczywistnia. Czy pamiętasz uczucie błogiego odprężenia, jakie idzie w parze z wyzdrowieniem po ciężkiej chorobie? Obecność tego uczucia jest probierzem dla każdej podświadomej reakcji. Wyobrażaj sobie i przeżywaj swoje pragnienie na progu realizacji.

Przeszkód nie ma – unikaj forsowania umysłu i zdaj się na wyobraźnię

Nic nie stoi na przeszkodzie, abyś wykorzystał podświadomość, dlatego wszelki wewnętrzny przymus jest rzeczą zbędną. Wystarczy wyobrazić sobie upragnione zdarzenie albo stan. Twój rozum może się, co prawda, buntować przeciw takiej postawie, nie daj się jednak zbić z tropu. Zachowaj prostą, dziecięcą wiarę, bo potrafi ona czynić cuda. Wyobraź sobie, że jesteś wolny od cierpienia lub kłopotu. Poczuj szczęście, jakie ogarnia z chwilą spełnienia pragnień. Unikaj wykrętów i różnych „ale". Najprostsza droga jest zawsze najlepsza.

Niezwykła siła sterowanej wyobraźni

Do tego, aby wywołać pożądaną podświadomą reakcję, znakomicie nadaje się technika sterowania albo naukowego kierowania wyobraźnią. Jak już parokrotnie wspominaliśmy, siły podświadomości budują ciało i pilnują przebiegu jego żywotnych funkcji.

Biblia powiada: *„A o cokolwiek będziecie prosić w modlitwie, wierząc – otrzymacie"* (Mt 21,22). Wierzyć zaś to po prostu uznać, że pożądane zdarzenie albo stan jest rzeczywistością. Jeśli ktoś potrafi myśleć i działać z tak pojętą wiarą, jego modlitwy zostaną wysłuchane.

Trzy składniki skutecznej modlitwy

Najpewniej prowadzi do celu poniższa metoda:

1. Rozważ problem ze wszystkich stron.
2. Każ podświadomości, by znalazła bezbłędne rozwiązanie, które tylko ona zna.
3. Utwierdź się w niezachwianym przekonaniu, że twoja sprawa rozwiąże się jak najszybciej i jak najlepiej.

Nie osłabiaj modlitwy, mówiąc: „Jak ja bym chciał

wyzdrowieć!" albo „Mam nadzieję, że znajdzie się jakieś rozwiązanie!" Twoja ufność musi być pewna jak rozkaz. Masz prawo do wewnętrznej i zewnętrznej harmonii, do zdrowia na duszy i ciele. Wystarczy, żebyś wyciągnął rękę. Niech siła podświadomości przeniknie cię tak, byś sam nabrał przekonania co do jej skuteczności. Doszedłszy do tego punktu, wyłącz się zupełnie i odpręż. Nie stawaj sobie na przeszkodzie. Im większą swobodę i pewność okażesz, tym łatwiej przekonasz podświadomość i pozwolisz skutecznie zadziałać kinetycznej energii swoich myśli.

Prawo odwrotnego skutku – i dlaczego zachodzi przeciwieństwo pożądanej sytuacji

Słynny francuski psycholog Coue zdefiniował prawo odwrotnego skutku następująco: „Jeśli twoje pragnienie stoi w sprzeczności z wyobrażeniem, to ostatnie okaże się zawsze silniejsze".

Gdyby kazano ci przejść po desce leżącej na ziemi, zrobiłbyś to bez wahania. Gdyby jednak ta sama deska znajdowała się na wysokości dziesięciu metrów i tylko jej końce opierały się na ścianach – czy byłbyś skłonny tak od razu na nią wejść? Twoje pragnienie, by po niej przejść, kłóciłoby się z wyobrażeniem upadku z dużej wysokości. Z pewnością górę wziąłby strach. Chęć wykazania się odwagą obróciłaby się we własne przeciwieństwo, potęgując jeszcze strach przed porażką.

Wszelkie forsowanie umysłu skazane jest z góry na klęskę, a nawet z zasady powoduje przeciwieństwo tego, czemu miało służyć. Umysł ogarnia powstałe z autosugestii poczucie bezsilności. Ponieważ zaś podświadomością steruje zawsze ta idea, która akurat dominuje w umyśle, dlatego w razie sprzeczności wyobrażeń rozstrzygnięcie zapadnie na rzecz tego silniejszego. A zatem, im mniejszy jest nakład energii, tym lepiej.

Kiedy mówisz: „Chciałbym wyzdrowieć, ale to niemożliwe", „Staram się, jak mogę", „Do każdej modlitwy się zmuszam", „Wkładam w to całą siłę woli", twój zasadniczy błąd polega właśnie na tym wysiłku. Nigdy nie próbuj narzucać podświadomości pożądanych wyobrażeń wyłącznie siłą woli. Próby takie są z góry skazane na niepowodzenie.

Pomyśl tylko o takim częstym zjawisku: student czyta pierwsze zdanie testu egzaminacyjnego i ma wrażenie, że za jednym zamachem wyleciało mu z pamięci wszystko, czego się nauczył. W głowie ma przeraźliwą pustkę, nie może sobie przypomnieć żadnego faktu. Im bardziej się stara, tym większą czuje pustkę. Ledwo jednak zamknie za sobą drzwi sali egzaminacyjnej, uwalniając się w ten sposób od presji psychicznej, pamięć jak na urągowisko wraca. Podobnie jak we wszystkich takich przypadkach, przyczyna niepowodzenia tkwi w rozpaczliwych wysiłkach. Przykład ten najlepiej wyjaśnia prawo odwrotnego skutku.

Trzeba znieść sprzeczność między pragnieniem a wyobraźnią

Sądząc, że przyjdzie nam użyć siły, z góry spodziewamy się oporu. Kiedy jednak skupimy się wyłącznie na tym, jak uporać się z danym problemem, uwaga sama odwraca się od przeszkód.

W Ewangelii wg św. Mateusza czytamy: „*Jeśli dwaj z was na ziemi zgodnie o coś prosić będą, to wszystkiego użyczy im mój Ojciec, który jest w niebie*" (Mt 18,19). O czymże tu mowa, jeśli nie o harmonijnym połączeniu albo zgodzie świadomości i podświadomości co do jakiejś idei, pragnienia lub wyobrażenia? Kiedy tylko świadomość i podświadomość przestaną sobie przeczyć, ale się porozumieją, twoja modlitwa zostanie wysłuchana. Tych dwu, o których tu mowa, rozumieć można też jako ciebie i twoją podświadomość, twoją myśl i uczucie, pragnienie i wyobraźnię.

Unikniesz konfliktów między pragnieniem a wyobraźnią, wprawiając się w stan podobny do snu, w którym wszelkie świadome wysiłki ulegają wyłączeniu. We śnie albo w transie świadomość jest najmniej czynna. Dlatego właśnie chwile tuż przed zaśnięciem i po obudzeniu nadają się najlepiej do trwałego wpływania na podświadomość – właśnie wtedy otwiera się ona najszerzej. Negatywne myśli i wyobrażenia, zdolne pozbawić pragnienie wszelkiej mocy, w tym stanie występują najrzadziej. Kiedy wyobraźnia wprawi cię w radosne podniecenie na myśl o spełnieniu pragnień, podświadomość zajmie się ich urzeczywistnieniem.

Wielu ludzi pokonuje wszelkie kłopoty, angażując własną, kierowaną naukowo wyobraźnię, mając **pewność**, że nastąpi wszystko, cokolwiek ich uczuciom i wyobraźni wyda się prawdą.

O tym, jak pokonywać sprzeczność między pragnieniem a wyobraźnią, mówi przykład jednej z moich znajomych. Marzyła ona o przyjaznym zażegnaniu pewnego sporu prawnego – jej wyobraźnia lubowała się jednak w wizjach niepowodzenia, strat, upadłości i nędzy. Chodziło tu o zawikłany problem prawniczy, którego rozwiązanie zdawało się odsuwać w nieskończoność.

Na moją propozycję zaczęła co wieczór przed snem wprawiać się w trans i przywoływać radość i ulgę, jaką odczułaby po szczęśliwym zakończeniu procesu. Wiedziała, że to wyobrażenie musi zgadzać się z pragnieniami. Przed zaśnięciem wyobrażała sobie siebie w ożywionej rozmowie z adwokatem. I zawsze kazała mu wypowiadać słowa: „Sprawa znalazła ze wszech miar zadowalające rozwiązanie i zdołano uregulować ją polubownie poza sądem". Gdy tylko w dzień opadał ją dawny strach, natychmiast w umyśle wyświetlała sobie ten film. Wkrótce bez trudu umiała sobie wyobrazić głos, gestykulację i uśmiech adwokata. Scenę tę powtarzała tak często, aż całkowicie utrwaliła się ona w jej umyśle i wyobraźni. I rzeczywiście – po paru tygodniach adwokat zadzwonił, że stało się zgodnie z jej życzeniem.

Pora tu wspomnieć słowa psalmisty: *„Niech znajdą uznanie słowa ust moich i myśli mego serca przed Tobą, Jahwe, moja skało i mój Zbawicielu"* (Ps 19,15). Niech twoje myśli i uczucia „znajdą uznanie", a siła i mądrość podświadomości uwolni cię od choroby, zniewolenia i cierpień.

STRESZCZENIE

1. Wszelki wysiłek woli wynika z lęku, który stoi na przeszkodzie pożądanemu rozwiązaniu. Niczego nie wymuszaj.

2. Kiedy odprężysz umysł i nabierzesz przekonania co do słuszności jakiejś myśli, podświadomość przystąpi do jej realizacji.

3. Myśląc i planując nie oglądaj się na przyjęte sposoby realizacji celów. Pamiętaj: zawsze istnieje odpowiedź i rozwiązanie!

4. Nie przejmuj się zbytnio tym, czy prawidłowo bije ci serce, czy dość głęboko oddychają płuca albo czy inne funkcje organizmu przebiegają normalnie. Zdaj się wyłącznie na podświadomość i sam sobie obwieść dobrą nowinę, że oto działa w tobie wola Stwórcy.

5. Kto poczuje się zdrów, wyzdrowieje; kto czuje się bogatym, będzie nim. Jak ty się czujesz?

6. Twoim najsilniejszym atutem jest wyobraźnia. Wyobrażaj sobie tylko rzeczy dobre i piękne. Ty i twój los jesteście tym, czym twoje myśli i wyobrażenia.

7. W stanie podobnym do snu sprzeczność między świadomością a podświadomością jest najzupełniej wyłączona. Tuż przed zaśnięciem wyobrażaj sobie zawsze z radością spełnienie pragnień. Zasypiaj spokojny i budź się radosny.

Rozdział 9

Podświadomość kluczem do bogactwa

Dlaczego zmagasz się z kłopotami finansowymi albo brak ci pieniędzy na spełnienie jakiegoś życzenia? Ponieważ nie zdołałeś przekonać podświadomości, że zawsze żyjesz w dostatku. Znasz na pewno ludzi, którzy pracują po kilka godzin w tygodniu, a zarabiają kolosalne sumy, i to bez zbytniego trudu. Nie sądź, że majątek można zdobyć jedynie w pocie czoła. Wręcz przeciwnie: najłatwiejsze rozwiązanie jest najlepsze. Rób, co ci każe serce, i rób to z czystej przyjemności.

Znam w Los Angeles kogoś na kierowniczym stanowisku, kto otrzymuje pensję wysokości około stu pięćdziesięciu tysięcy marek. W ubiegłym roku wybrał się w dziewięciomiesięczną podróż i zwiedził najpiękniejsze miejsca świata. Jak opowiadał mi, zdołał po prostu kiedyś przekonać podświadomość co do wartości swojej pracy. Twierdził, że wielu jego kolegów, zarabiających zaledwie osiemset marek miesięcznie, zna swój fach lepiej niż on; brak im jednak całkowicie ambicji i twórczych pomysłów i zupełnie nie obchodzi ich niezwykła moc własnej podświadomości.

Bogactwo to sprawa umysłu

Bogactwo jest tylko przeświadczeniem, jakie żywi dana osoba. Rzecz jasna, nie staniesz się milionerem dzięki temu, że powiesz sobie: „Jestem milionerem, jestem milionerem!” Cel ten osiągniesz, przybierając w duchu właściwą postawę, tak by myśl o dostatku miała w nim swoje stałe miejsce.

Niewidzialne źródła twoich dochodów

Błędem wielu ludzi jest to, że nie mają niewidzialnego źródła dochodów. Stają bezradnie wobec każdego spadku koniunktury, każdej bessy i każdej straty w lokatach. Tak reaguje tylko ktoś, kto nie zna dostępu do niewyczerpanych skarbów podświadomości.

Ktoś, kto boi się nędzy albo czuje się nędzarzem, stanie się nim. Jeśli jednak czyjeś myśli kierują się ku bogactwu, wkrótce będzie on żyć w dostatku. Nigdzie nie jest powiedziane, że człowiek musi dokonać żywota w nędzy i upodleniu. Ty też możesz być bogaty i żyć w dostatku. Twoje słowa są bowiem władne oczyścić umysł z błędnych wyobrażeń, zastępując je słusznymi myślami.

Jak przybrać w umyśle idealny stosunek do bogactwa

Być może, czytając te słowa, powiesz: „Ja też chcę bogactwa i sukcesów!” Wystarczy, żebyś zrobił lub zrobiła rzecz następującą: trzy do czterech razy dziennie powtarzaj sobie przez pięć minut: „Bogactwo – sukces”. Słowa te mają ogromną siłę, uosabiają bowiem bezgraniczną moc podświadomości. Skup myśli na tej sile w swoim wnętrzu, a w twoim życiu wkrótce nastąpi upragniona zmiana. Nie mówisz przecież: „Jestem bogaty”, zatrzymujesz tylko myśli na twórczych mocach duchowych. Dopóki będziesz mówić tylko „bogactwo”, nie może powstać sprzeczność między rozumem a podświadomością. Poza tym, uczucie bogactwa będzie cię przenikać tym mocniej i trwalej, im dłużej twoje myśli będzie zaprzątać wyobrażenie dobrobytu.

Nie zapominaj: kto się czuje bogaczem, ten nim jest. Twoja podświadomość jest jak bank, jak sponsor twoich pragnień. Ile pragnień i myśli wpłacisz na to konto – czy obracać się będą wokół bogactwa czy nędzy – tyle ich, dobrych albo złych, pomnoży się z wysokim procentem. Wybierz więc dobrobyt i dostatek!

Dlaczego twierdzenie o własnym bogactwie nic nie dało

W ciągu ostatnich 35 lat rozmawiałem z wieloma ludźmi, którzy głównie narzekali: „Całe tygodnie i miesiące mówiłem sobie: jestem zamożny, jestem bogaty – i nic z tego". Wkrótce odkryłem, iż mówiąc: jestem zamożny, jestem bogaty – czuli w głębi duszy, że tylko się okłamują.

Pewien mężczyzna powiedział mi: „Aż do znudzenia powtarzałem, że jestem bogaty. Tymczasem moja sytuacja tylko się pogarszała. Wiedziałem po prostu, że moje stwierdzenia nie odpowiadają faktom." Z tego właśnie względu podświadomość odrzucała treść jego słów, i następowało przeciwieństwo tego, co na zewnątrz twierdził.

Stwierdzenia tego rodzaju mogą się urzeczywistnić tylko wtedy, kiedy wyrażają jasną myśl i nie budzą wewnętrznej sprzeczności. Sytuacja życiowa wspomnianego wyżej mężczyzny pogarszała się tylko dlatego, że w gruncie rzeczy mówiąc o bogactwie ciągle myślał o nędzy. Podświadomości możesz bowiem wpoić tylko prawdziwe myśli i uczucia, nie zaś czcze słowa i stwierdzenia, w których prawdziwość sam ani trochę nie wierzysz. Podświadomość kieruje się wyłącznie tą ideą, jaka dominuje w twojej wyobraźni.

Jak unikać wewnętrznej sprzeczności

Poniższa metoda jest idealna zwłaszcza dla tych, którzy łatwo popadają w wewnętrzne konflikty. Powtarzaj, szczególnie przed zaśnięciem, rzecz następującą: „W dzień i w nocy wszystko mi sprzyja". Stwierdzenie to nie wzbudzi żadnych sprzeczności, ponieważ nie kłóci się ono z twoim podświadomym przekonaniem o własnej niezamożności.

Poradziłem kiedyś biznesmenowi, którego w tarapaty finansowe wpędził spadek popytu, żeby spokojnie siadał w biurze i powtarzał następujące stwierdzenie: „Popyt rośnie z dnia na dzień". Udało mu się w ten sposób zyskać zgodne wsparcie świadomości i podświadomości, a rezultat nie kazał na siebie długo czekać.

Nie podpisuj czeków in blanco

Czeki in blanco podpisujesz na przykład wtedy, kiedy mówisz: „Przecież to nie starczy", „W tej chwili nie najlepiej stoję", „To za duża hipoteka; stracę ten dom". Choć bałbyś się takiej przyszłości, jednocześnie ją kusisz, podpisując czek nieznanej wysokości. Twoja podświadomość bowiem mylnie rozumie twoje obawy i negatywne stwierdzenia jako rozkazy, przystępując do stwarzania „żądanych" przeszkód i ograniczeń.

Podświadomość odpłaca z nawiązką

Ktoś, kto czuje się bogaty, będzie jeszcze bogatszy. Ktoś, kto czuje się biedny, straci i tę ostatnią odrobinę mienia. Twoja podświadomość pomnaża wszystko, co jej powierzysz. Niech więc co rano zaprzątają cię myśli o sukcesie, bogactwie i spokoju. Zatrzymuj wyobraźnię na tych wizjach. Staraj się odmalowywać sobie te obrazy jak najczęściej i w jak najjaskrawszych barwach. Te konstruktywne myśli zakorzenią się w twojej podświadomości i obdarzą cię bogactwem i dostatkiem.

Dlaczego nic się nie zdarzyło

Już słyszę, jak mówisz: „Ach, ja to wszystko robiłem, i nic się nie zdarzyło!” Niepowodzenie takie można z dużym prawdopodobieństwem tłumaczyć tym, że już dziesięć minut później popadałeś w dawne nawyki myślowe, niszcząc tym samym pozytywne skutki opisanej powyżej postawy. Któż rzucałby ziarno w ziemię, żeby je po chwili z powrotem wykopać? Trzeba pozwolić, żeby zapuściło korzenie i wzeszło.

Załóżmy, że chcesz powiedzieć: „Na następną ratę już nie zdobędę pieniędzy”. Przerwij to zdanie najpóźniej przy słowie „ratę” i zamiast tego skup się na jakimś pozytywnym stwierdzeniu, jak na przykład: „W dzień i w nocy wszystko mi sprzyja”.

Prawdziwe źródło bogactwa

Twojej podświadomości nigdy nie braknie pomysłów. Jest ona niewyczerpanym źródłem idei, które tylko czekają, żeby pojawić się w twojej świadomości i przysporzyć ci rozlicznych korzyści. Ten proces trwa w umyśle bez przerwy – obojętne, czy akcje rosną, czy spadają, i czy maleje siła nabywcza dolara czy marki. Twój dobrobyt nie zależy w końcu od akcji, listów zastawnych czy kont bankowych. Tak naprawdę są one tylko symbolem – choćby i potrzebnym, jednak niczym więcej.

Ty też w każdej chwili życia będziesz się cieszyć bogactwem w tej czy w innej formie – dzięki przeświadczeniu, że należy ci się dobrobyt, przeświadczeniu, które wpoisz podświadomości.

Dlaczego wielu nie może związać końca z końcem

Często słyszymy narzekania, że komuś nie starcza pieniędzy na zaspokojenie potrzeb i zobowiązań. Ale czy kiedyś zastanowiłeś się, kto tak mówi? Czy ci ludzie nie potępiają z zasady wszystkich, którym się udało i którzy do czegoś doszli?

Dla takich malkontentów typowe są uwagi w rodzaju: „Ten to zwykły kombinator", „Ten to się uczciwie nie dorobił", „Ten to idzie po trupach". Tego rodzaju pogardliwe osądy rzadko wyrażają moralne oburzenie, a prawie zawsze zazdrość i chciwość. Najszybszym natomiast i najpewniejszym sposobem odstraszenia wszelkiego dobrobytu jest lekceważenie i oczernianie innych, bogatszych ludzi.

Częsta pułapka na drodze do bogactwa

Przyczyną nędzy i niedostatku bywa często zawiść – o czym niejeden sam mógł się gorzko przekonać. Czy i ciebie nie ogarnia zazdrość, kiedy widzisz, że konkurent wpłaca na swoje konto w banku sumę, która przerasta twoje możliwości? Pokonaj ten negatywny odruch, mówiąc sobie: „To wspaniale! Jak się cieszę, że mu dobrze idzie! Oby tak dalej!"

Uleganie zazdrości ma zgubne skutki. Sam sobie wtedy przeczysz, nastawieniem negatywnym odstraszasz od siebie bogactwo, zamiast je przyciągać. Kiedy najdzie cię pokusa, żeby w niechętnych słowach skrytykować czyjeś powodzenie lub dobrobyt, skieruj czym prędzej myśli w inną stronę: życz mu szczerze i z całego serca wszystkiego najlepszego! Tym samym cofniesz negatywne skutki swoich myśli, a zarazem zgodnie z prawem podświadomości obdarzysz siebie samego bogactwem, jakie ci się należy.

Usuwamy duchową barierę na drodze do bogactwa

Jeśli przyjdzie ci z goryczą stwierdzić, że ktoś z twoich bliźnich dorobił się majątku kłamstwem i oszustwem, zostaw go swojemu losowi. Jeśli bowiem się nie mylisz, to ten ktoś nadużył uniwersalnych praw umysłu, a to się na nim zemści. Ty w każdym razie, z tej samej przyczyny, starannie unikaj jakiejkolwiek krytyki pod jego adresem. Pamiętaj, że barierę dzielącą cię od bogactwa wznieść może tylko twój umysł. Kiedy zdołasz się jednak pozytywnie odnosić do wszystkich bliźnich, usuniesz te przeszkody raz na zawsze.

Jak bogacić się we śnie

Gdy się już położysz, usypiaj się, powtarzając spokojnie, ale z przejęciem słowo „bogactwo”. Zasypiaj z tym słowem na ustach, a skutki wkrótce cię zadziwią. Niedługo bowiem ze wszystkich stron spłynie na ciebie obfitość bogactw.

STRESZCZENIE

1. Postanów sobie, że z pomocą podświadomości w prosty sposób osiągniesz bogactwo.

2. Dochodzenie do bogactwa w pocie czoła to najkrótsza droga na cmentarz. Takie marnowanie sił jest zupełnie niepotrzebne.

3. Bogactwo jest tylko i wyłącznie skutkiem wewnętrznego przekonania. Niech w twoich myślach i uczuciach stale powraca wyobrażenie o własnej zamożności.

4. Błędem większości ludzi jest to, że nie mają niewidzialnego źródła dochodów.

5. Przed zaśnięciem przez pięć minut spokojnie i z przejęciem powtarzaj słowo „bogactwo”, a wkrótce twoja podświadomość zrealizuje to wyobrażenie.

6. Kto się czuje bogatym, ten nim jest. Miej to zawsze na uwadze.

7. Świadomość i podświadomość powinny być tego samego zdania. Twoja podświadomość przyjmie tylko to, co naprawdę uznasz za słuszne albo prawdziwe. Kieruje się ona tylko dominującą myślą, i dlatego rozmyślaj o bogactwie, nie zaś o nędzy.

8. Ewentualny konflikt między świadomością a podświadomością wokół tego, czy słusznie mniemasz o swoim bogactwie, zażegnasz najlepiej stwierdzeniem: „W dzień i w nocy wszystko mi sprzyja!"

9. Powiększaj swoje gospodarcze sukcesy, wciąż powtarzając: „Sprzedaż moich towarów rośnie z dnia na dzień. Osiągam coraz większe postępy. Bogacę się z każdym dniem."

10. Zaniechaj wystawiania czeków in blanco. „Nie starczy mi pieniędzy", „Na to mnie nie stać." Takie przesądzanie o czymś z góry pogarsza zarówno twoją sytuację w danej chwili, jak i widoki na przyszłość.

11. Powierzaj podświadomości wyobrażenie o swoich sukcesach i bogactwie, a ta duchowa „lokata" zaprocentuje wysoko.

12. Bądź konsekwentny we wszystkim, co twierdzisz. Jeśli po chwili zakwestionujesz słuszność swoich stwierdzeń albo zaczniesz obstawać przy czymś wręcz przeciwnym, pozytywne działanie twoich myśli cofnie się.

13. Prawdziwym źródłem dobrobytu jest świat twoich myśli i wyobrażeń. Twoje pomysły mogą być warte miliardy. Podświadomość dostarczy ci ich pod dostatkiem.

14. Zazdrość i chciwość to pułapki na drodze do bogactwa. Ciesz się szczerze ze szczęścia i powodzenia innych!

15. Tylko twój umysł potrafi wznieść barierę dzielącą cię od bogactwa. Usuń niezwłocznie tę przeszkodę, starając się pozytywnie odnosić do bliźnich.

Rozdział 10

Twoje prawo do bogactwa

Masz prawo do bogactwa. Urodziłeś się, aby prowadzić szczęśliwe i beztroskie życie w dostatku. Dlatego powinieneś posiąść tyle pieniędzy, ile potrzeba do takiego życia.

Przyszedłeś na świat, aby rozwijać się fizycznie, psychicznie i duchowo; masz niepodważalne prawo do wszystkiego, co pomogłoby ci znaleźć sens życia. Powinieneś otaczać się pięknem i luksusem.

Czemu miałbyś zadowalać się tylko tym, co niezbędne do życia, skoro możesz czerpać z niewyczerpanych bogactw podświadomości? Z rozdziału tego dowiesz się, co zrobić, aby pieniądze towarzyszyły ci w życiu jak wierny przyjaciel. Twoje pragnienie bogactwa to tęsknota za pełniejszym, szczęśliwszym i piękniejszym życiem; to pewien kosmiczny instynkt. Nie tylko więc możesz, ale nawet powinieneś dążyć do bogactwa.

Pieniądze to tylko symbol

Pieniądz to symboliczny środek wymiany. Ich posiadanie oznacza nie tylko uwolnienie od nędzy i niedostatku, ale też piękno, luksus i życie na wyższym poziomie. Pieniądze to ni mniej, ni więcej tylko symbol gospodarczego zdrowia w danym kraju. Dopóki w organizmie krew krąży bez przeszkód, człowiek jest fizycznie zdrów. Dopóki w życiu jednostki trwa obieg pieniędzy, człowiek jest zdrów gospodarczo. Źle się dzieje w gospodarce wtedy, kiedy ludzie zaczynają z lęku chomikować pieniądze w pończosze.

W różnych kulturach istniały różne środki wymiany, na przykład sól, szklane paciorki czy inne przedmioty wartościowe. W epoce wczesnohistorycznej bogactwo człowieka mierzono wielkością jego stada wołów i owiec. Dziś zamiast tego stosujemy pieniądze i inne bankowe papiery wartościowe, ponieważ znacznie praktyczniej mieć przy sobie banknoty i bilon niż owce i woły.

Najwygodniejsza i najkrótsza droga do bogactwa

Droga do pomyślności – psychicznej, fizycznej, materialnej – otwarta jest przed tym, kto zna niezwykłą moc podświadomości. Znawca praw duchowych wierzy i wie, że nigdy nie będzie cierpiał niedostatku – i to bez względu na koniunkturę gospodarczą, kursy giełdowe, kryzysy, strajki czy wojny. Wystarczy bowiem, żeby wpoił podświadomości wyobrażenie dobrobytu, a ona – obojętne, gdzie się będzie znajdował – dostarczy mu z nawiązką wszystkiego, czego trzeba. Nabrał on niezachwianego przekonania, że w każdej chwili jego życia pieniądze będą zawsze w zasięgu jego możliwości. Choćby jutro zbankrutowało państwo, a cały jego dobytek stracił wartość, on szybko odzyskałby bogactwo – bez względu na to, jaki byłby nowy ustrój gospodarczy i waluta.

Dlaczego nie masz więcej pieniędzy

Czytając ten rozdział powiesz pewnie: „Należy mi się pensja wyższa od tej, jaką w tej chwili dostaję”. Moim zdaniem praca większości ludzi jest niedoceniana i niedopłacana. W wielu wypadkach niedobory finansowe mogą brać się stąd, że dane osoby skrycie albo jawnie potępiają pieniądze; nazywają je „nieczystymi" albo powiadają, że przyczyną wszelkiego zła jest chciwość. Następny powód, dla którego nie odnoszą ekonomicznych sukcesów, to pokutujący w ich umysłach przesąd, że ubóstwo jest cnotą i moralną zasługą. Ta podświadoma postawa wynika przeważnie z nauk pobieranych za młodu, a często i z błędnej interpretacji niektórych miejsc Biblii.

Pieniądze a rozważne życie

Ktoś powiedział mi kiedyś: „Splajtowałem. Brzydzę się pieniędzmi, bo to przyczyna wszelkiego zła." Coś takiego może powiedzieć tylko znerwicowany bałaganiarz. Równie wypaczona i jednostronna jest też oczywiście postawa ludzi przywiązanych wyłącznie do pieniędzy. Człowiek powinien mądrze korzystać ze swoich zdolności. Jedni łakną władzy, inni pieniędzy. Jeśli wszystkie twoje myśli i czyny będą obracać się tylko wokół pieniędzy i jeśli powiesz sobie: „Zależy mi tylko na pieniądzach; zajmuję się ich gromadzeniem i reszta mnie nie obchodzi!" – wtedy na pewno dorobisz się majątku. Ale przeoczysz fakt, że człowiek powinien żyć rozważnie i zaspokajać potrzebę harmonii, miłości, radości i zdrowia.

Źle wybierze ktoś, kto uczyni z pieniędzy wyłączną treść życia. Wkrótce bowiem odkryje, że prócz pieniędzy człowiek ma jeszcze wiele innych potrzeb. Należy do nich rozwijanie ukrytych talentów, odnalezienie miejsca w życiu, pragnienie piękna i radość pomagania innym. Ten zaś, kto pozna i właściwie zastosuje prawa podświadomości, ten nie tylko – jeśli ma do tego głowę – posiądzie miliardy, ale i cieszyć się będzie wewnętrzną i zewnętrzną harmonią, zdrowiem i poczuciem pełnej samorealizacji.

Ubóstwo to schorzenie umysłu

Ubóstwo nie jest bynajmniej cnotą ani zasługą, ale jedną z wielu chorób umysłu. Gdybyś czuł się źle fizycznie, tłumaczyłbyś to chorobą organizmu. Przedsięwziąłbyś wszystko, byle temu czym prędzej zaradzić. Tymczasem ciągły brak pieniędzy też jest objawem tego, że coś w twoim życiu szwankuje.

Zasada życia, zawarta w każdym człowieku, dąży do wzrostu, pełni i dostatku. Nie przyszedłeś na świat po to, żeby mieszkać w nędznej chacie, okrywać się łachmanami i cierpieć głód. Prawo życia domaga się, abyś zaznał szczęścia, bogactwa i powodzenia.

Dlaczego nie wolno lekceważyć pieniędzy

Uwolnij się w myśleniu od wszystkich obiegowych przesądów związanych z pieniędzmi. Nigdy nie uważaj pieniędzy za coś złego czy nieczystego – możesz je tylko wypłoszyć. Pamiętaj, że podświadomość nie dopuszcza do ciebie niczego, co z przekonaniem odtrącasz. Jak mogłaby przyciągać coś, co sam odrzucisz?

Jak nabrać właściwego stosunku do pieniędzy?

Posiadane pieniądze pomnożyć możesz w następujący prosty sposób. Powtarzaj parę razy dziennie: „Chętnie witam pieniądze, lubię je. Korzystam z nich mądrze, z namysłem i w dobrych celach. Potrafię wydawać pieniądze garściami, a wracają do mnie przedziwnie pomnożone. Pieniądze to rzecz dobra – nawet bardzo dobra. Płyną do mnie zewsząd w nadmiarze. Dzięki nim zrobię dużo dobrych i pożytecznych rzeczy, jestem więc wdzięczny za moje materialne i duchowe skarby."

Pieniądze z punktu widzenia nauki

Załóżmy, że odkryłbyś złoża złota, srebra, ołowiu, miedzi albo żelaza. Czy uznałbyś, że te metale to coś złego? Jedyną przyczyną zła jest ludzkie zaślepienie, niewłaściwy stosunek do życia, niewiedza i nadużywanie podświadomych sił. Każdy metal – uran, ołów czy jakikolwiek inny – mógłby nam służyć jako środek wymiany. Zamiast tego stosujemy papierowe banknoty, czeki, miedź, nikiel i srebro – substancje, w których nie ma naprawdę nic złego. Współcześni fizycy i chemicy wiedzą, że jedyna różnica między metalami polega na ilości i przyspieszeniu elektronów krążących wokół jednego środka. Przy pomocy silnego cyklotronu można dziś zmienić jeden metal w inny, ostrzeliwując go atomami. W pewnych warunkach można w ten sposób przetworzyć złoto na rtęć. Niedługo uczeni w laboratoriach będą zapewne otrzymywać metale drogą syntezy. Być może w tej chwili byłoby to za drogie – nie jest już jednak niemożliwe. Wobec tego człowiek inteligentny nie powinien doszukiwać się zła w tym zbiorowisku elektronów, neutronów, protonów oraz izotopów – czy będzie to metal, papier, moneta czy banknot.

Jak przyciągać potrzebne pieniądze

Przed wieloma laty poznałem w Australii chłopca, który bardzo chciał zostać chirurgiem, nie miał jednak pieniędzy na studia. Przekonywałem go, że ziarno rzucone w ziemię potrafi przyciągnąć wszystko, co mu potrzebne do wzejścia; prosiłem, by wziął to sobie za wzór i zakorzenił swoje marzenie w podświadomości. Żeby zarobić na życie, ten niezwykle uzdolniony młodzieniec sprzątał gabinety lekarskie, mył okna i wykonywał najróżniejsze prace dorywcze. Mówił mi, że co wieczór przed zaśnięciem z całą dokładnością odmalowywał sobie przed oczyma dyplom lekarski, na którym dużymi, wyraźnymi literami widniało jego nazwisko. W czasie różnych dorywczych prac napatrzył się wielu takich dokumentów, dzięki czemu bez trudu mógł sobie wpoić odpowiednie wyobrażenie. Te cowieczorne marzenia trwały jakieś cztery miesiące, aż w końcu nastąpił widoczny sukces. Bardzo pouczający jest dalszy życiorys tego młodzieńca. Jeden z lekarzy bardzo go polubił. Nauczył go sterylizować narzędzia, robić zastrzyki, udzielać pierwszej pomocy i wykonywać inne czynności niezbędne w gabinecie lekarskim. W końcu zatrudnił go jako asystenta. Później za własne pieniądze wysłał chłopca na studia medyczne. Młodzieniec został sławnym lekarzem, obecnie praktykuje w Montrealu. Dzięki właściwemu wykorzystaniu podświadomości chłopiec zdołał uruchomić odwieczne prawo ciążenia. Głosi ono, że widząc przed sobą wyraźny cel, wystarczy zażyczyć sobie jego realizacji. W tym wypadku celem był własny gabinet lekarski. Młody człowiek potrafił wyobrazić sobie siebie jako lekarza i umiał się nim poczuć. Żył tym marzeniem i włożył w nie całą swoją fascynację medycyną, aż stało się w głębi podświadomości przekonaniem. W ten sposób zaistniały wszelkie warunki po temu, żeby marzenie się spełniło.

Dlaczego niektórzy nie dostają podwyżki

Jeśli pracując w dużym przedsiębiorstwie myślisz sobie po cichu z goryczą, że jesteś niedoceniany i niedopłacany, to w duchu już się pożegnałeś z pracodawcą. Uruchamiasz w ten sposób pewien zwykły proces, aż pewnego dnia szef powie ci: „Niestety musimy panu podziękować za współpracę". A tak naprawdę to ty sam już wcześniej rozwiązałeś stosunek pracy. Twój przełożony był tylko narzędziem w realizacji twojej negatywnej postawy. Tak chce prawo akcji i reakcji. Pierwszy bodziec wyszedł od twoich myśli, a cała reszta była tylko wynikiem podświadomej reakcji.

Przeszkody i pułapki na drodze do bogactwa

Na pewno nieraz sam słyszałeś uwagi w rodzaju: „Ten to się uczciwie nie dorobił", „Ten to dopiero kombinator", „Ten to jeszcze niedawno był biedny jak mysz kościelna", „Z takimi łokciami nie sztuka się dorobić".

Jeśli przyjrzeć się bliżej autorowi takich uwag, okazuje się najczęściej, że cierpi on na brak pieniędzy albo na fizyczną czy psychiczną chorobę. Może jego koledzy ze studiów pną się po szczeblach kariery szybciej niż on i to budzi w nim zazdrość. Ta niechęć jest jednocześnie przyczyną jego niepowodzeń. Negatywny stosunek do dawnych przyjaciół i ich dobrobytu uniemożliwia osiągnięcie upragnionego bogactwa.

Ściśle biorąc, ktoś taki domaga się spełnienia dwu przeciwstawnych życzeń. Z jednej strony powiada: „Zewsząd spływają do mnie bogactwa i dobrobyt", a zaraz potem oznajmia: „Zazdroszczę temu człowiekowi bogactwa". Naucz się obserwować cudze sukcesy z radością.

Chroń swój majątek

Jeśli potrzebujesz rady w sprawach pieniężnych, martwisz się kursem swoich akcji lub papierów wartościowych, wygłaszaj ufnie i spokojnie następujące stwierdzenie: „Powszecha mądrość czuwa nad wszystkimi moimi transakcjami i podszeptuje mi słuszne decyzje, dzięki czemu wszystkie moje przedsięwzięcia dają zysk". Powtarzaj to często, a przekonasz się, że dobrze wybrane lokaty uchronią cię od strat.

Za wszystko trzeba zapłacić

Detektywi zatrudniani w dużych sklepach i domach towarowych łapią codziennie wielu złodziei. Próbują oni dostać coś za darmo, ich myśleniem rządzi bowiem strach przed niedostatkiem i chęć oszczędzenia pieniędzy. Okradają jednak nie tylko innych, ale i siebie – z wiary, uczciwości, dobrej woli i zaufania bliźnich. Tracą wiele – szacunek dla siebie, pozycję społeczną i wewnętrzny spokój. Ludziom tym brak wiary w to, że mogą dostać wszystko, i brak im zrozumienia dla pracy własnego umysłu. Gdyby zechcieli wykorzystać siłę podświadomości i powtarzać z przekonaniem, że wskaże im ona drogę do prawdziwej samorealizacji, znaleźliby pracę i stały dochód.

Niewyczerpane źródło twoich pieniędzy

Poznać siłę podświadomości, myśli i wyobrażeń to najpewniejszy i najszybszy sposób, by położyć kres wewnętrznym i zewnętrznym niedostatkom i osiągnąć trwały dobrobyt. Przyjmij zatem bogactwo, jakie daje ci w prezencie podświadomość. Właściwa postawa wobec dobrobytu i pewność, że wkrótce go osiągniesz, wywołają proces rządzący się własnymi prawami. Posiądziesz wszystko, czego trzeba, by czuć się człowiekiem bogatym, jeśli tylko zdołasz się nim poczuć.

Wypisz sobie w sercu i codziennie powtarzaj następujące stwierdzenie: „Zjednoczyłem się z nieskończonym bogactwem mojej podświadomości. Mam prawo do sukcesu i do zamożności. Spływają do mnie pieniądze z niewyczerpanych źródeł. Znam swoją prawdziwą wartość. Wszystkim, co mam i co potrafię, chętnie służę bliźnim; doznaję wszelkich dobrodziejstw materialnych. Życie jest wspaniałe!”

STRESZCZENIE

1. Nie wahaj się stwierdzić, że masz prawo do bogactwa – a podświadomość uszanuje to prawo.

2. Nie zadowalaj się tym, co niezbędne do życia. Zapragnij posiąść sumy, które pozwolą ci spełnić od razu każde swoje życzenie. Poznaj niewyczerpane bogactwo swojego umysłu.

3. Tam, gdzie pieniądze napływają i wypływają bez przeszkód, panuje gospodarcze zdrowie. Traktuj pieniądze jak przypływy i odpływy, następujące kolejno po sobie.

4. Poznanie praw podświadomości będzie otaczać cię bogactwem, cokolwiek byś przez nie rozumiał.

5. Wielu ludzi ledwo sobie radzi finansowo dlatego, że potępiają pieniądze. Potępiając coś, odstraszamy to od siebie.

6. Nie rób z pieniędzy bożka. Są tylko symbolem. Pamiętaj, że prawdziwe bogactwo spoczywa w twoim umyśle. Urodziłeś się po to, żeby żyć w spokoju ducha. Potrzebne są do tego pieniądze – ale jako środek prowadzący do celu, a nie bożyszcze.

7. Nie myśl wyłącznie o pieniądzach. Domagaj się też zdrowia, pomyślności, prawdziwej samorealizacji i miłości, sam zaś okazuj ludziom życzliwość i dobrą wolę. Za to wszystko podświadomość odpłaci ci z nawiązką.

8. Ubóstwo samo w sobie nie jest ani cnotą, ani zasługą. Wręcz przeciwnie – jest skutkiem duchowego schorzenia, dolegliwości, z której musisz się czym prędzej wyleczyć.

9. Nie przyszedłeś na świat po to, żeby mieszkać w nędznej chacie, okrywać się łachmanami i cierpieć głód. Jesteś stworzony do życia w bogactwie.

10. Nie mów nigdy: „Wstrętny szmal!” ani: „Gardzę pieniędzmi”. Tracimy to, co lekceważymy. Nic nie jest dobre czy złe samo z siebie – dopiero nasz umysł dochodzi do takich czy innych wartościowań.

11. Powtarzaj często: „Chętnie witam pieniądze, korzystam z nich mądrze, dla własnego i cudzego dobra. Potrafię wydawać pieniądze garściami, a wracają do mnie pomnożone.”

12. Pieniądze nie są gorsze od ukrytego w ziemi ołowiu, miedzi, cyny albo żelaza. Wszelkie zło bierze się wyłącznie z nieznajomości sił umysłu i ich nadużywania.

13. Wyobraziwszy sobie żywo i świadomie żądany rezultat, sprawisz, że podświadomość doprowadzi cię do celu.

14. Za wszystko trzeba zapłacić. Nie próbuj dostać czegokolwiek za darmo. Jeśli poświęcisz dość uwagi swoim celom, ideałom i przedsięwzięciom, podświadomość to podchwyci. Kto szuka bogactwa, powinien wypełnić podświadomość wyobrażeniem życia w dostatku.

Rozdział 11

Pomoc podświadomości niesie powodzenie

Mieć sukcesy to żyć pomyślnie. W życiu ludzkim za powodzenie trzeba uznać dłuższy okres niezakłóconego spokoju, niezmąconej radości i pełnego szczęścia. Takiego stanu chwały dostąpią błogosławieni w życiu wiecznym, o którym mówił Chrystus. Prawdziwe bogactwo i szczęście – spokój, uczciwość, bezpieczeństwo – mają źródło w umyśle. Pochodzą one z głębokiej jaźni człowieka. Rozważanie tych niebiańskich stanów istnienia uczyni z nich stały składnik naszej podświadomości. Skarby przechować można właśnie w niej, *„gdzie ani mól, ani rdza nie niszczą, i gdzie złodzieje nie włamują się i nie kradną"* (Mt 6,20).

Trzy kroki prowadzące do sukcesu

Do sukcesu prowadzą nieomylnie trzy kroki. Pierwszy polega na uświadomieniu sobie, do jakich zadań nas ciągnie; te zadania trzeba spełniać z radością. Tylko ktoś, kto lubi swoją pracę, może odnosić w niej sukcesy. Chcąc zostać na przykład lekarzem, nie można poprzestać na zdaniu egzaminów, ale trzeba być stale na bieżąco, jeździć na kongresy oraz nieustannie poznawać ludzki organizm i jego pracę. Aby odnosić sukcesy, lekarz odwiedza kliniki i czytuje pisma fachowe, zapoznając się z najnowszymi odkryciami w swojej dziedzinie. Innymi słowy, nadąża za czołówką badaczy, dzięki czemu może coraz lepiej leczyć. Dobremu lekarzowi powinno leżeć na sercu przede wszystkim dobro pacjentów.

Ktoś może tutaj wtrącić: „Wszystko to bardzo ładnie, ale ja nie mogę zrobić nawet pierwszego kroku do sukcesu, bo nie mam bladego pojęcia, co jest moim prawdziwym powołaniem". Czytelnik, którego to dotyczy, powinien prosić o Boże natchnienie mniej więcej tymi słowami: „Powszechna mądrość podświadomości objawi mi właściwe miejsce w życiu". Modlitwę tę trzeba powtarzać stale, ze spokojem, z przejęciem i z ufnością. Po pewnym czasie nagrodą za upór i ufność staną się twoje zamiłowania albo pomysły, które wskażą ci wyraźny kierunek. Wyproszona w ten sposób odpowiedź przyniesie ci wewnętrzną pewność.

Drugim krokiem do sukcesu jest konkretna specjalizacja i starania, żeby w swojej dziedzinie wiedzieć więcej niż inni. Kiedy, na przykład, młody człowiek zrozumie, że jego powołaniem jest chemia, powinien skupić się na jednej gałęzi tej nauki. Odtąd niech poświęca tej specjalności całą uwagę i czas. Niech podchodzi do swoich zadań z entuzjazmem; niech stara się zgłębić wszystkie zakamarki danej dziedziny, by poznać je lepiej niż inni. Oprócz nieprzepartej ciekawości powinien też odczuwać pragnienie, by służyć człowiekowi.

„Największy z was niech będzie waszym sługą" (Mt 23,11). Cóż za ogromna różnica między taką postawą a postawą człowieka, który tylko „chałturzy", byle sobie jakoś tam „poradzić". Prawdziwy sukces nie polega jednak na tym, żeby sobie „jakoś radzić". Działaniem człowieka powinny powodować szlachetniejsze i bardziej bezinteresowne pobudki. Powinien poświęcać się służbie bliźniemu, tak by zarobek był także zasługą.

Najważniejszy jest trzeci krok. Musisz sobie w pełni uświadomić, że wybrana przez ciebie działalność nie powinna prowadzić tylko do twojego osobistego powodzenia. Niech nie zwiodą cię zakusy egoizmu, kieruj się dobrem innych. Twoje myśli, uczucia i dążenia powinny stanowić zamknięty krąg. Twoja modlitwa o odkrycie powołania niech budzi chęć, by stać się przydatnym. Postawa taka wyjdzie po stokroć na dobre także i tobie samemu. Kiedy ktoś zmierza jedynie do własnych korzyści, ten doskonały krąg się nie zamknie. Łatwo wtedy o zwarcie, które w życie samolubne wniesie chorobę i nieszczęście.

Prawdziwa miara powodzenia

Ktoś może tu wtrącić zarzut: „Ale pan Iksiński dorobił się na swojej kanciarskiej firmie kolosalnego majątku". Cóż, nawet oszuści mogą z pozoru odnosić wielkie sukcesy, ale kradzione nie tuczy. Okradając kogoś, zubożamy siebie. Takie zachowanie bowiem zdradza wewnętrzną niepewność i niezadowolenie – na wskroś negatywną postawę, która nie może nie odbić się na zdrowiu, na życiu rodzinnym i zawodowym. Wszystkie nasze myśli urzeczywistniają się przecież i przybierają widzialną postać. Potrafimy to, w co uwierzymy. Jeśli nawet ktoś zdobył oszustwem majątek, nie można mówić o jego powodzeniu. Nie żyjąc w zgodzie z własnym sumieniem, nie sposób cieszyć się pozornym sukcesem. Cóż po bogactwie, jeśli nie można spać w nocy, gdy dręczy choroba lub wyrzuty sumienia?

Pewien poznany w Londynie mężczyzna opowiedział mi historię swojego życia. Był złodziejem kieszonkowym i zgromadził spory majątek. Miał willę we Francji, a i w swoim kraju żył na wysokiej stopie. Przyznał mi się jednak, że stale prześladował go strach przed Scotland Yardem, który mógł go w każdej chwili aresztować. Cierpiał na liczne dolegliwości, które z całą pewnością należy wytłumaczyć owym lękiem i nieczystym sumieniem. Człowiek ten był świadom, że postępuje wbrew prawu. Poczucie winy wręcz przyciągało nieszczęście. Pewnego dnia dobrowolnie zgłosił się na policję, złożył wyczerpujące zeznania i bez szemrania przyjął karę więzienia i grzywny. Po zwolnieniu zasięgnął pomocy neurologa i księdza. Przeszedł całkowitą przemianę wewnętrzną, podjął pracę i stał się uczciwym, lojalnym obywatelem. Znalazł odpowiednie dla siebie zajęcie i żył bardzo szczęśliwie.

Człowiek sukcesu lubi swoją pracę i w niej się wyraża. Do powodzenia potrzebne jest coś więcej niż tylko chęć zgromadzenia bogactw; spotyka ono tylko kogoś, kto głęboko zrozumie prawa psychiki i umysłu. Wiele czołowych osobistości w gospodarce oparło sukces na właściwym wykorzystaniu podświadomości.

Parę lat temu ukazał się w prasie artykuł o magnacie naftowym nazwiskiem Flagler. W wywiadzie nie ukrywał, że swoje sukcesy przypisuje zdolności wyobrażania sobie planowanych przedsięwzięć jako czegoś, co już się urzeczywistniło. Z zamkniętymi oczami oglądał siebie na czele imperium naftowego, słyszał dudnienie pociągów towarowych, gwizd lokomotywy, widział pióropusz dymu, jaki ciągnęły za sobą. Kiedy już ujrzał w ten sposób spełnienie pragnień, do ich realizacji pozostawał tylko krok. Jeśli więc zdołasz z całą wyrazistością postawić sobie konkretny cel, wtedy podświadomość stworzy warunki dla jego osiągnięcia – w sposób, który wymyka się naszemu pojęciu.

Rozpatrując trzy kroki prowadzące do sukcesu nie możesz pomijać podświadomości. To jej twórcza moc jest podstawą wszelkich dążeń; to ona bowiem dostarcza energii niezbędnej do przeprowadzenia każdego planu. Twój umysł to twórcza moc. Kiedy twoje myśli i uczucia stopią się w jedną całość, powstaje subiektywna wiara, a *„według wiary waszej niech wam się stanie"* (Mt 9,29).

Wiedza o ukrytej w tobie nieskończonej mocy, która potrafi spełnić wszystkie twoje życzenia, da ci niezachwianą wiarę w siebie oraz poczucie pewności. Nieważne, w jakiej dziedzinie pracujesz, zapoznaj się niezwłocznie z prawami podświadomości. Gdy nauczysz się korzystać z tych sił psychicznych, gdy nauczysz się urzeczywistniać swoją prawdziwą jaźń i angażować zdolności dla dobra bliźnich, znajdziesz się na drodze do prawdziwego sukcesu. Jeśli będziesz działać zgodnie z wolą Boga, On będzie cię prowadził i chronił. Kto albo co zdoła ci się wtedy przeciwstawić? Żadna siła na świecie nie zniweczy sukcesu kogoś, kto zdobędzie się na zrozumienie tej głębokiej prawdy.

Jak urzeczywistnił marzenie

Pewien aktor filmowy opowiadał mi, że już jako chłopiec, pomagając ojcu w gospodarstwie marzył o tym, żeby zostać gwiazdorem ekranu – choć wiedział, że ze swoją szkolną wiedzą daleko nie zajedzie. Myśl o aktorstwie nie dawała mu spokoju – ani przy koszeniu, ani przy dojeniu krów. Powiedział mi dosłownie: „Stale widziałem swoje nazwisko ułożone z wielkich, świetlistych liter nad wejściem do wytwornego kina. Latami oddawałem się temu marzeniu, aż w końcu uciekłem z domu. Brałem wszystkie, nawet najpośledniejsze zajęcia, jakie mi proponowano w filmie. Statystowałem, później awansowałem do coraz większych ról mówionych, aż pewnego dnia rzeczywiście ujrzałem swoje nazwisko w takim rzęsistym świetle, o jakim marzyłem w dzieciństwie!" Zakończył słowami: „Doświadczyłem na sobie, że konsekwencja w marzeniach przynosi sukces!"

Wymarzona drogeria stała się rzeczywistością

Trzydzieści lat temu poznałem młodego drogistę, który zarabiał dodatkowo trzydzieści dolarów skromnej prowizji na tydzień. „Za dwadzieścia lat – powiedział mi kiedyś – dostanę emeryturę i będę odpoczywał".

Odpowiedziałem: „Dlaczego nie założy pan własnego sklepu? Niech pan tu nie tkwi bez końca! Niech pan sobie wytyczy większy cel! Proszę pomyśleć o przyszłości dzieci.

Może syn będzie chciał studiować medycynę, może córka ma wielki talent pianistyczny?"

Odrzekł, że nie ma pieniędzy. Ten pomysł ukazał mu jednak całkiem nowe możliwości i zrobił na nim duże wrażenie.

Objaśniłem mu rodzaj i sposób działania niezwykłych sił jego podświadomości. Potem nastąpił drugi krok: uwolnienie tych sił. Zaczął wyobrażać sobie, że stoi we własnym sklepie. W duchu już go urządzał, ustawiał półki, wypisywał zamówienia, pilnował pracowników, którzy obsługiwali klientów, i obserwował, jak błyskawicznie rośnie konto w banku. Niczym dobry aktor wczuł się całkowicie w tę rolę.

Rób tak, jakby to już było rzeczywistością, a stanie się nią

Zgodnie z tą zasadą młody drogista myślał o sobie wyłącznie jako o właścicielu drogerii.

Jego dalsze życie przybrało ciekawy obrót. Zwolniono go z dotychczasowej, podrzędnej pracy, po czym znalazł nowy etat w firmie drogeryjnej z siecią na cały kraj; powierzono mu tam kierownictwo jednej z filii, a w końcu zarządzanie sprzedażą w całym okręgu. W ciągu czterech lat zaoszczędził tyle pieniędzy, że mógł zadatkować kupno własnego sklepu. Nazwał go „Drogerią marzeń".

„Sklep odpowiadał moim marzeniom aż po najdrobniejsze szczegóły" – mówił mi drogista. Wiodło mu się znakomicie i nigdy nie przestał lubić swojej pracy.

Wykorzystanie podświadomości w interesach

Parę lat temu dla grupy biznesmenów wygłaszałem wykład o sile podświadomości i wyobraźni. Zwróciłem im uwagę między innymi na to, że nawet Goethe w trudnych chwilach uciekał się do swojej bogatej wyobraźni.

Jak wiadomo, godzinami potrafił rozmawiać z ludźmi

będącymi wyłącznie wytworem jego fantazji. Wiemy także o jego nawyku wyobrażania sobie z największą plastycznością wyglądu, gestykulacji i głosu zaufanego i sprawdzonego przyjaciela, który dawał mu potrzebne odpowiedzi i wskazywał najlepsze rozwiązania.

Wśród moich słuchaczy znajdował się wtedy pewien młody makler giełdowy. Postanowił wypróbować sposób Goethego. Prowadził w duchu rozmowy z zaprzyjaźnionym arcybogatym bankierem, który okazywał wielkie uznanie dla jego umiejętności giełdowych. Te wyimaginowane rozmowy prowadził tak długo, aż wyobrażenie i rzeczywistość stopiły się w jedno.

Rozmowy z samym sobą i naukowo sterowana wyobraźnia młodego maklera zgadzały się całkowicie z jego celem życiowym, jakim było bezpieczne i zyskowne lokowanie pieniędzy powierzonych mu przez klientów. Do dziś we wszystkich sprawach zawodowych kieruje się on podświadomością i uchodzi za jednego z najbystrzejszych i najsprawniejszych ludzi giełdy.

Szesnastolatek obraca porażkę w sukces

Pewien uczeń szkoły średniej skarżył mi się kiedyś: „Dostaję same złe stopnie. Pamięć mi nawala. Nie wiem, co się ze mną dzieje.” W krótkim czasie odkrył przyczynę zła: do wielu nauczycieli i kolegów z klasy odnosił się co najwyżej obojętnie, a często wręcz z zawiścią i niechęcią. To ja zwróciłem mu na to uwagę.

Idąc za moją radą powtarzał kilka razy dziennie – zwłaszcza przed zaśnięciem i po obudzeniu – z najgłębszym przekonaniem następujące stwierdzenia: „Wiem, że moja podświadomość jest też skarbnicą pamięci. Zachowuje ona wszystko, co wyczytam w podręcznikach albo usłyszę od nauczycieli. Mam bezbłędną pamięć, a mądrość mojej podświadomości odsłoni przede mną odpowiedź na wszystkie pytania, jakie dostanę na ustnych i pisemnych sprawdzianach. Wobec wszystkich nauczycieli i kolegów czuję życzliwość, którą oni odwzajemniają. Życzę im z całego serca powodzenia i wszystkiego dobrego!"

W niedługim czasie młody człowiek zapomniał, czym są kłopoty w szkole, a wszystkie egzaminy zdawał celująco.

Jak pomyślnie kupować i sprzedawać

Jeśli ktoś chce coś kupić albo sprzedać, musi zdawać sobie sprawę, że świadomość działa jak rozrusznik, a podświadomość jak silnik. Żeby go uruchomić, trzeba najpierw włączyć starter. Świadomość można także porównać do elektrycznego włącznika, który kieruje prądem podświadomości.

Chcąc przekazać podświadomości wyraźne życzenie, konkretną myśl albo dokładne wyobrażenie, trzeba – jak mówiliśmy – odprężyć się wewnętrznie i zewnętrznie unikając wszelkich świadomych wysiłków. Można się wtedy nie obawiać, że coś zakłóci marzenia wyobraźni. Ponadto unika się szkodliwego forsowania umysłu – bo wiemy już, że najłatwiejsza droga jest zawsze najlepsza. Tylko w ten sposób zdołamy sobie wyobrazić, że marzenie już się urzeczywistniło.

Kiedy na przykład chcesz kupić dom, odpręż się i powiedz sobie: „Oprócz innych wielkich sił moja podświadomość ma także dar powszechnej mądrości. Wyjawi mi ona zatem, gdzie znajduje się idealny dom, z dobrym dojazdem i ładnie położony; dom, który spełni moje potrzeby i wyobrażenia, a będzie na miarę moich dochodów. Odtąd powierzam podświadomości zadanie znalezienia takiego obiektu i wiem, że na to zareaguje. Przekazuję jej tę prośbę mając pewność, że się spełni – z takim samym zaufaniem, z jakim rolnik sieje, bo wie, że zasiew wyda plon."

Wysłuchanie twoich modlitw może się objawić poprzez ogłoszenie w gazecie, przyjacielską wskazówkę lub samodzielne odkrycie domu. Pragnienie może się więc spełnić na różne sposoby. Najważniejsza jednak jest twoja pewność, że jeśli zaufasz działaniu własnej podświadomości, problem niezawodnie się rozwiąże.

A może jednak nie chcesz kupić domu, ale go sprzedać. Kilku pośrednikom w handlu nieruchomościami, którzy prywatnie zasięgali moich porad, opowiadałem, w jaki sposób znalazłem swego czasu kupca na mój dom przy Orlando Avenue w Los Angeles. Odtąd stosowano ową technikę często i z zastanawiająco szybkim skutkiem.

W ogrodzie przed domem ustawiłem tabliczkę z napisem: „Sprzedam bez pośrednika". Wieczorem tuż przed zaśnięciem zadałem sobie pytanie: „Załóżmy, że znalazłbyś kupca – co byś zrobił?" I odpowiedziałem: „Zdjąłbym tabliczkę i wyrzucił". Po czym roztoczyłem przed sobą wizję, jak dotykam kołka, wyciągam go z ziemi, zarzucam na ramię i mówiąc: „Już mi się nie przydasz!" wkładam do pojemnika na śmieci. I ogarnęło mnie uczucie głębokiej satysfakcji, jak gdyby pragnienie właśnie się urzeczywistniło.

Już nazajutrz ktoś chętny do kupna dał mi tysiąc dolarów zaliczki i powiedział: „Proszę zabrać tę tabliczkę, a ja szybko dostarczę resztę sumy".

Zrobiłem więc z tabliczką to, co w moim wyobrażeniu było rzeczywistością już wcześniej. Nie ma w tym nic nowego. *Co wewnątrz, to na zewnątrz* – to znaczy, że obraz, który wrył ci się w podświadomość, przejawi się też w zewnętrznej sytuacji życiowej. Zewnętrzność jest odbiciem wnętrza. Zewnętrzne działanie idzie śladem czegoś, co wewnątrz już się dokonało.

Chcielibyśmy teraz ukazać kolejną metodę stosowaną przy sprzedaży domów, gruntów i innych posiadłości. Z rozwagą, spokojem i przejęciem wygłaszaj następujące stwierdzenie: „Powszechna mądrość sprowadzi mi kupca, który marzy o tym domu i będzie w nim szczęśliwy. Przyśle mi go nieomylna, twórcza mądrość mojej podświadomości. Choćby brał pod uwagę wiele innych domów, mój jest jedyny, jaki naprawdę chce kupić, ponieważ taką decyzję podsuwa mu jego podświadomość. Wiem z całą pewnością, że to właściwy kupiec, właściwy moment i właściwa cena. Wszystko w tej transakcji ma swój sens. Zrządzenie Boże zetknie nas obu na drodze podświadomości. Wiem, że tak jest."

Pamiętaj, że to, czego szukasz, ze swojej strony też zmierza ku tobie, i że na wszystko, co zechcesz sprzedać, jest zawsze kupiec. Wykorzystując odpowiednio podświadomość przy kupnie albo sprzedaży, uwolnij umysł od niepokoju i zbędnego lęku przed konkurencją.

Jak otrzymała to, czego chciała

Pewna młoda pani, która chodziła na moje kursy, potrzebowała na dojazd do Instytutu z reguły półtorej godziny, ponieważ musiała jechać autobusem z trzema przesiadkami. Któregoś dnia opowiedziałem jej, jak pewien młody człowiek zdobył samochód potrzebny mu do pracy – a ona zrobiła podobnie.

Poniżej publikuję za jej zgodą fragment listu, w którym opowiada o swoim sukcesie:

„Drogi Panie Doktorze,

pragnę opowiedzieć Panu, jak zdobyłam cadillaka, a chciałam mieć samochód, żeby regularnie bywać na Pana wykładach. Wybrałam się w duchu do salonu samochodowego, gdzie sprzedawca zaproponował mi jazdę próbną. Po jakimś czasie sama siadłam za kierownicą i prowadziłam samochód w największym ruchu. Ciągle to sobie wyobrażałam ze wszystkimi szczegółami i żyłam w przeświadczeniu, że cadillac jest mój.

W ostatnim tygodniu przyjechałam na Pański wykład własnym cadillakiem. Mój wujek z Inglewood, który niedawno umarł, zostawił mi, jako jedynej spadkobierczyni, między innymi swojego cadillaka."

Sposób na sukces stosowany przez wielu wybitnych biznesmenów

Wielu spośród czołowych biznesmenów wielokrotnie w ciągu dnia powtarza sobie cicho abstrakcyjne słowo „sukces", aż do pełnego przekonania, że im się powiedzie. Mają przy tym świadomość, że wyobrażenie zawiera już wszystkie składniki prawdziwego sukcesu. Czemu i ty nie miałbyś wciąż na nowo powtarzać sobie z wiarą i pewnością słowa „sukces"? Przejąwszy się tą myślą, podświadomość wskaże ci nieomylny sposób na powodzenie.

Każdy człowiek odczuwa przemożną potrzebę realizacji swoich subiektywnych wrażeń i poglądów. Co rozumiesz pod pojęciem sukcesu? Bez wątpienia mieści się w nim szczęście rodzinne i dobre stosunki z otoczeniem. Na pewno chciałbyś się też wybić w zawodzie; marzysz o pięknym domu i o pieniądzach na inne przyjemności życia. Wreszcie, pragniesz szczęśliwego życia w wierze i skutecznego wykorzystania sił podświadomości.

Nie tylko w interesach należy rozwiązywać problemy. Wymaga tego również twoje życie osobiste. Bądź więc pod każdym względem człowiekiem sukcesu! Wyobraź sobie, że trudnisz się już swoim wymarzonym zajęciem i że posiadłeś wszystko, czego dusza zapragnie. Posłuż się wyobraźnią i wczuj w sytuację człowieka, który żyje w szczęściu i dobrobycie. Niech takie wyobrażenia wejdą ci w nawyk. Co wieczór kładź się spać z głębokim przekonaniem, że los cię rozpieszcza – a niebawem wyobrażeniem tym przejmie się podświadomość. Uwierz mocno, że urodziłeś się, by ci się wiodło – a twoja modlitwa zdziała cuda.

STRESZCZENIE

1. Mieć sukcesy to znaczy żyć pomyślnie. Kiedy żyjesz w zgodzie ze sobą i ze światem, kiedy z radością oddajesz się ulubionej pracy, jesteś człowiekiem sukcesu.

2. Odkryj swoje wewnętrzne powołanie i pójdź za nim. Jeśli nie wiesz, jaka praca da ci idealną możliwość rozwoju osobowości i wykazania talentów, módl się o znak – a otrzymasz go.

3. Wybierz sobie specjalność i spróbuj poznać ją lepiej niż ktokolwiek inny.

4. Człowiek sukcesu nie jest samolubny. Poczuwa się do służby ludziom.

5. Prawdziwy sukces nie istnieje bez wewnętrznego spokoju!

6. Człowiek sukcesu posiada dużą umiejętność wczuwania się w cudzą psychikę i uczucia.

7. Kiedy wyobrazisz sobie dokładnie swój cel, niezwykła siła podświadomości stworzy niezbędne warunki do jego urzeczywistnienia.

8. Kiedy świat wyobrażeń i świat uczuć stopią się w niepodzielną jedność, powstanie wiara subiektywna – *„według wiary waszej niech wam się stanie"*.

9. Siła rozmyślnie i uparcie angażowanej wyobraźni wzbudzi wielkie moce podświadomości.

10. Ktoś, kto marzy o zawodowym awansie, powinien wyobrazić sobie, jak gratuluje mu go pracodawca, zwierzchnik albo towarzysz życia. Obraz ten musi być jak najbliższy rzeczywistości – trzeba wyraźnie słyszeć głos tej osoby, widzieć jej gesty i mieć poczucie, że ta scena jest prawdziwa. Nie ustawaj w tych wyobrażeniach, a twoja modlitwa zostanie wysłuchana.

11. Twoja podświadomość jest zarazem skarbnicą pamięci. Jeśli ktoś chce udoskonalić swoją pamięć, niech przyswoi sobie takie przeświadczenie: „Bezgraniczna mądrość podświadomości wyjawi mi zawsze i wszędzie wszystko, co powinienem wiedzieć".

12. Jeśli chcesz sprzedać dom albo inną posiadłość, powtarzaj ze spokojem i z przejęciem: „Bezgraniczna mądrość sprowadzi mi kupca tego domu (lub czegokolwiek innego), kogoś chętnego, kto marzy o nim i kogo on uszczęśliwi". Trzymaj się tego przeświadczenia, a znajdziesz idealnego kontrahenta.

13. Wyobrażenie sukcesu zawiera wszystkie jego istotne składniki. Powtarzaj ufnie i z wiarą słowo „sukces" – a głos wewnętrzny wskaże ci nieomylną drogę do celu.

Rozdział 12

Czołowi naukowcy wykorzystują podświadomość

Wielu spośród czołowych naukowców doceniało i docenia wagę podświadomości. Edison, Marconi, Kettering, Poincaré, Einstein i wielu innych ufało podświadomości, angażując ją świadomie w badaniach. To jej zawdzięczać należy odkrycia i metody, które legły u podstaw wielkich współczesnych innowacji w nauce i gospodarce. Staranne badania dowiodły, że sukcesy wszystkich wielkich naukowców i badaczy wiązały się ściśle z rozwijaniem sił podświadomości.

Mało kto wie, jak słynny chemik Friedrich von Stradonitz rozwiązał przy pomocy podświadomości trudny problem naukowy. Dłuższy czas trudził się daremnie nad właściwym ułożeniem sześciu atomów węgla i wodoru we wzorze benzenu. Wciąż napotykał trudności nie do pokonania, przez co rozumowe rozwiązanie wydało mu się nieosiągalne. W końcu powierzył problem własnej podświadomości. Niedługo potem, gdy wsiadał w Londynie do autobusu, coś go olśniło. Ujrzał w duchu węża, który gryząc własny ogon kręci się w kółko. Podświadomość uczonego znalazła rozwiązanie i ukazała mu w symbolicznej formie kolisty układ atomów, znany dziś powszechnie jako „pierścień benzenowy".

Jak wybitny naukowiec rozwijał swoje wynalazki

Nikola Tesla, któremu zawdzięczamy szereg rewelacyjnych wynalazków, był błyskotliwym badaczem w dziedzinie elektrotechniki. Kiedy przychodził mu do głowy nowy pomysł, zwykł rozwijać go i rozbudowywać w wyobraźni, wiedząc, że podświadomość podszepnie mu wszystkie szczegóły potrzebne do praktycznej realizacji pomysłu. Pozwalając, aby wynalazek dojrzał w jego umyśle, potrafił przekazać inżynierom doskonałą aż po ostatnie szczegóły konstrukcję, która nie wymagała już żadnych ulepszeń.

On sam tak skomentował swoją pionierską działalność: „Wszystkie moje wynalazki w ciągu dwudziestu lat spełniały wszelkie oczekiwania, jakie stawiałem im ja oraz inni".

Jak słynny przyrodnik rozwiązał problem

Znakomity amerykański przyrodnik profesor Agassiz doświadczył na sobie niestrudzoną działalność podświadomości w czasie snu. W biografii tego sławnego człowieka, którą opublikowała wdowa po nim, znajduje się opis następującego wydarzenia:

„Już od dwóch tygodni próbował uzupełnić niekompletną i wysoce rozmytą skamielinę prehistorycznej ryby. Zmęczony i zniechęcony odłożył w końcu skamieniałość, starając się więcej o niej nie myśleć. Wkrótce potem obudził się w środku nocy z radosnym podnieceniem: we śnie zobaczył rybę w całości. Obraz wymknął mu się jednak przy próbie jego utrwalenia. Mimo to jednak, skoro świt, Agassiz wybrał się do Jardin des Plantes (ogrodu zoologicznego połączonego z instytutem zoologii) w nadziei, że tam zobaczy coś, co przypomni mu ujrzany we śnie obraz. Nic z tego – pamięć go zawiodła. Następnej nocy ryba znowu ukazała mu się we śnie, potem jednak nie był w stanie przypomnieć sobie szczegółów. W nadziei, że to przeżycie wróci po raz trzeci, przed pójściem spać położył w zasięgu ręki ołówek i kartkę papieru.

I rzeczywiście – nad ranem wizerunek ryby ukazał mu się znowu, z początku nieco niewyraźnie, później jednak z tak kryształową precyzją, że wprawne oko zoologa zdołało rozpoznać najdrobniejsze nawet szczegóły. W półśnie, w całkowitej ciemności, narysował rybę na kartce. Rano zaś, ku wielkiemu zaskoczeniu, odkrył pewne cechy biologiczne, których by się u tej prehistorycznej ryby nigdy nie domyślił. Pośpieszył do Jardin des Plantes, i korzystając z rysunku, zdołał cienkim dłutem zdjąć wierzchnią warstwę w różnych miejscach skamieniałości, dzięki czemu ujrzał wszystkie szczegóły. Zgadzały się one dokładnie z obrazem w jego śnie i sporządzonym przez sen szkicem, dzięki czemu odpowiednie zaklasyfikowanie ryby stało się proste."

Jak wielki lekarz znalazł środek przeciwko cukrzycy

Parę lat temu ktoś przysłał mi wycinek z gazety, gdzie opisano odkrycie insuliny. Poniżej streszczam najważniejsze fakty tak, jak je zapamiętałem:

Czterdzieści lat temu, może trochę wcześniej, znakomity kanadyjski chirurg dr Frederick Banting poświęcił się dokładnemu studiowaniu katastrofalnych skutków cukrzycy. Medycyna nie znała jeszcze wówczas sposobu na powstrzymanie tej choroby. Każdą wolną minutę dr Banting poświęcał eksperymentom i lekturze międzynarodowej literatury fachowej. Pewnego wieczoru oczy kleiły mu się ze zmęczenia i poszedł spać. We śnie coś go natchnęło, by wyprodukować wyciąg z psich trzustek. Z tej substancji uzyskano insulinę, która odtąd pomogła milionom ludzi.

Ciekawe, że zanim podświadomość ukazała Bantingowi właściwą drogę, musiał długo szukać rozwiązania problemu.

Olśnienie nie nadchodzi bynajmniej zaraz pierwszej nocy. Zanim pojawi się odpowiedź, może upłynąć dłuższy czas. Nie zniechęcaj się tym, zawsze przed zaśnięciem przekazuj podświadomości odpowiednie pytanie, jak gdybyś robił to pierwszy raz.

Opóźnienie można tłumaczyć między innymi tym, że – słusznie albo nie – uważasz dane pytanie za wyjątkowo zagmatwane. Świadomie więc sądzisz, że rozwiązania nie da się znaleźć w krótkim czasie. Twoja podświadomość nie podlega czasowym ani przestrzennym ograniczeniom. Kładź się więc spać z pełnym przekonaniem, że już znalazłeś odpowiedź. Nie opóźniaj niepotrzebnie sprawy, oczekując rozwiązania w nieokreślonej przyszłości. Zdaj się ufnie na własną podświadomość; niech przedstawione tu przykłady przekonają cię, że każde twoje pytanie i problem znajdą bezbłędną odpowiedź i rozwiązanie.

Jak sławny fizyk uciekł z sowieckiego łagru

Wybitny badacz w dziedzinie elektroniki, członek Rocket Society (stowarzysznie czołowych specjalistów od rakiet), dr Lothar von Blenk-Schmidt, streścił w poniższych słowach, jak zdołał uciec przed niechybną śmiercią w sowieckiej kopalni węgla:

„Jako jeniec wojenny trafiłem do sowieckiego łagru, gdzie pracowałem w kopalni węgla. Moi koledzy umierali jeden po drugim. Pilnowali nas bezwzględni strażnicy, butni oficerowie i komisarze, myślący tylko o wykonaniu planu wydobycia. Po krótkim badaniu lekarskim każdemu jeńcowi wyznaczano dzienną normę wydobycia węgla. Moja wynosiła trzysta funtów. Jeśli jeniec nie wykonał normy, za karę zmniejszano mu i tak żałosną rację żywności, i wkrótce nieszczęśnik lądował na cmentarzu.

Wszystkie moje myśli obracały się wokół jednego: jak uciec? Wiedziałem, że moja podświadomość znajdzie jakieś wyjście. Moja cała rodzina i dom padły ofiarą wojny. Wszyscy przyjaciele i dawni koledzy polegli albo byli internowani.

W szczególnie ciężkiej chwili natchnęła mnie myśl: «chcę znaleźć się w Los Angeles, a zaprowadzi mnie tam podświadomość». Widziałem kiedyś zdjęcia tego miasta i bardzo dokładnie pamiętałem poszczególne ulice i budynki.

Dzień i noc wyobrażałem sobie, że razem z pewną młodziutką Amerykanką, którą przed wojną poznałem w Berlinie (to moja obecna żona), idę bulwarem Wilshire. W duchu robiłem tam zakupy, jeździłem autobusem i jadałem w pierwszorzędnych restauracjach. Co noc zaprzątałem wyobraźnię wizją, że siedzę za kierownicą luksusowego samochodu i jeżdżę po reprezentacyjnych ulicach Los Angeles. Obrazy te odmalowywałem przed sobą ze wszystkimi szczegółami i z największym realizmem. W końcu ów wymarzony świat stał się dla mnie równie rzeczywisty, jak zasieki otaczające łagier.

Co rano naczelnik ustawiał jeńców w jednym szeregu i odliczał. Miał zwyczaj liczyć głośno «jeden, dwa, trzy» itd., a każdy po wywołaniu miał dołączyć do grupy policzonych. Któregoś dnia na porannym apelu naczelnika na chwilę odwołano – akurat po tym, jak wymienił mnie z numerem 17. Po powrocie przez pomyłkę wywołał następnego też z numerem 17. To było dla mnie sygnałem ucieczki. Wiedziałem, że wieczorem, po powrocie do łagru, moja brygada wyda im się kompletna, dzięki czemu przez dłuższy czas nikt nie zauważy mojej ucieczki.

Udało mi się «prysnąć». Szedłem 24 godziny bez przerwy i dopiero potem odpocząłem w zrujnowanym i wyludnionym mieście. Później żywiłem się rybami i dziczyzną, a nocami jechałem na gapę pociągami towarowymi do Polski. Wreszcie dotarłem do Polski, a stamtąd przyjaciele pomogli mi przedostać się do Szwajcarii.

Pewnego wieczoru w hotelu Palast w Lucernie wdałem się w rozmowę z pewnym amerykańskim małżeństwem, które zaprosiło mnie do Santa Monica w Kalifornii. Przyjąłem zaproszenie. Po moim przyjeździe do Los Angeles zabrał mnie dalej szofer moich przyjaciół; wiózł mnie po bulwarze Wilshire i innych reprezentacyjnych ulicach, które tak plastycznie wyobrażałem sobie przez długie miesiące niewoli w sowieckiej kopalni. Rozpoznawałem budynki, które w duchu widywałem setki razy, i miałem wrażenie, że kiedyś rzeczywiście byłem już w Los Angeles. Dopiąłem celu.”

Swoją relację dr Blenk-Schmidt kończy zapewnieniem, że nie przestanie go zdumiewać niezwykła siła podświadomości oraz jej sposoby, które wymykają się naszej wiedzy i pojęciu.

Jak archeolodzy i paleontolodzy rekonstruują prehistorię

Przedstawiciele tych nauk są skazani na to, że ich podświadomość zapamiętuje wszystkie dawne wydarzenia. Wobec zazwyczaj bardzo skąpych wskazówek w postaci resztek starych siedzib ludzkich czy prehistorycznych znalezisk tylko dzięki wyobraźni i sile podświadomości potrafią rekonstruować przeszłość – ba, nawet prehistorię. Coś, co umarło, odżywa i przemawia do nas. Badaniom tych naukowców nad dawnymi świątyniami i przedmiotami artystycznymi, pradawnymi narzędziami i przedmiotami codziennego użytku, a także ich intuicji zawdzięczamy wiedzę o szczeblach rozwoju człowieka w jego niejasnej prehistorii, kiedy to nasi przodkowie porozumiewali się jeszcze nieartykułowanymi dźwiękami i znakami. Silna koncentracja naukowca i kierowanie przez niego wyobraźnią budzi drzemiące w nim moce podświadomości, które stawiają mu przed oczyma starożytne świątynie otoczone parkami, fontannami i stawami. Paleontolog z kolei potrafi w skamieniałych szczątkach prehistorycznych stworzeń dopatrywać się mięśni, kości i ścięgien tak długo, aż ukaże mu się wierny wizerunek zwierzęcia. Dzięki temu przeszłość staje się żywą teraźniejszością, i widzimy, jak umysł ludzki pokonuje przestrzeń i czas. Kiedy nauczysz się podobnie władać i kierować wyobraźnią, stworzy ci ona szansę, byś mógł znaleźć się w gronie najbardziej uczonych i światłych umysłów wszystkich epok.

Kiedy stajesz przed tak zwaną „trudną decyzją" albo problemem pozornie nie do rozwiązania, spróbuj najpierw uporać się z tym przez konstruktywne i świadome myślenie. Pozbądź się lęku, bo tylko w ten sposób można myśleć owocnie.

Radę i pomoc podświadomości we wszystkich sprawach zapewni ci ten oto prosty sposób: zadbaj o całkowity spokój ciała i umysłu. Każ ciału rozluźnić się, a ono cię usłucha. Organizm ludzki nie ma przecież wolnej woli ani rozeznania. Można porównać go z płytą gramofonową, będącą zapisem twoich myśli, poglądów i wrażeń. Skup się na swoim problemie i spróbuj go rozwiązać. Pomyśl, jak bardzo by cię uszczęśliwiło pomyślne rozwiązanie. Wczuj się w stan, jakiego byś wtedy doznał, trwaj w nim przez jakiś czas, po czym z ulgą zaśnij. Jeśli po przebudzeniu nadal nie wpadnie ci do głowy wyjście z sytuacji, zajmij się czym innym. Najprawdopodobniej nagle olśni cię wtedy rozwiązanie.

By kierować się własną podświadomością, dobrze jest i tutaj wybrać najprostszą drogę. Pozwolę sobie dla ilustracji opisać własne przeżycie: Pewnego dnia spostrzegłem, że zgubiłem cenny pierścionek, który w dodatku był pamiątką rodzinną. Bezskutecznie przetrząsnąłem każdy kąt. Wieczorem przed zaśnięciem przemówiłem do podświadomości – jakby była rzeczywistym rozmówcą – następującymi słowami: „Przed tobą nic się nie ukryje, więc wiesz, gdzie jest pierścionek. Pokaż mi to miejsce."

Nazajutrz rano miałem wrażenie, jakby zbudziło mnie ze snu wołanie: „Zapytaj Roberta!"

Trochę zdziwiła mnie ta rada, Robert miał bowiem dziewięć lat. Ale usłuchałem wewnętrznego głosu.

Na moje pytanie Robert odpowiedział: „Pierścionek? Ach tak, znalazłem go wczoraj, kiedy się bawiłem. Leży u mnie na biureczku. Myślałem, że nie ma żadnej wartości, więc nikomu o nim nie mówiłem."

Podświadomość zawsze znajdzie odpowiedź – bylebyś jej zaufał.

Podświadomość wyjawiła mu miejsce przechowywania testamentu ojca

Jeden z moich młodych słuchaczy przeżył następującą historię: umarł mu ojciec, nie zostawiwszy, jak się zdawało, ostatniej woli. Siostra młodzieńca mówiła mu jednak, że ojciec wspomniał jej o testamencie, w którym sprawiedliwie uwzględnił każdego. Ale na próżno szukano dokumentu.

Wtedy młody człowiek zwrócił się przed zaśnięciem z następującym wezwaniem do podświadomości: „Odtąd całą sprawę powierzam podświadomości. Ona zna miejsce przechowania testamentu i ona mi je wyjawi." Swoje oczekiwania zawarł w jednym rozkazie: „Odpowiedz!", powtarzając to słowo aż do zaśnięcia.

Nazajutrz rano, wiedziony jakby wewnętrzną potrzebą, wybrał się do pewnego banku w Los Angeles, gdzie znalazł testament w skrytce wynajmowanej przez ojca. Jeśli ktoś przed zaśnięciem skieruje myśl na konkretny przedmiot, budzi drzemiące w psychice siły. Czy chcesz sprzedać dom, nabyć akcje, rozstać się ze wspólnikiem, przenieść się do innego miasta, wymówić pracę albo podjąć nową – w każdym wypadku najlepiej będzie, jeśli w spokoju siądziesz przy biurku w pracy albo w domowym fotelu. Przypomnij sobie wtedy uniwersalne prawo przyczyny i skutku. Twoja myśl będzie stanowić przyczynę, skutkiem będzie reakcja podświadomości, ukształtowanej z natury jako instrument reagowania. Zgodnie z prawem akcji i reakcji nastąpi coś dobrego albo złego, nagroda albo kara. Wszelkie świadome, rozumowe poszukiwanie rozwiązań spowoduje zatem automatycznie podświadomą reakcję, która objawi ci się odpowiedzią albo olśnieniem.

Aby kierować się podświadomością, wystarczy więc w spokoju zastanowić się nad właściwym rozwiązaniem – wtedy bowiem zwracasz się z pytaniem do podświadomości, aż ukryta w niej mądrość udzieli ci właściwej odpowiedzi. Kiedy podświadomość zacznie już dla ciebie pracować, po prostu nie będziesz mógł nie podejmować najlepszych decyzji i stosownych kroków. Będziesz działać pod wewnętrznym przymusem wszystkowiedzącej i wszechwładnej podświadomości, a tym samym z konieczności działać słusznie. Słowa „przymus" używam z rozmysłem, ponieważ prawo podświadomości wyraża się nieodpartym przymusem dobra.

Tajemnica wewnętrznego olśnienia

Tajemnica wewnętrznego olśnienia i nieomylne przewodnictwo podświadomości polega na tym, by świadomie szukać właściwej odpowiedzi tak długo, aż coś nam ją nagle podszepnie. Reakcja podświadomości – wskazując drogę i prowadząc do celu – może przybrać formę intuicji, wewnętrznego zrozumienia albo przemożnego nakazu. Kiedy już uda się uruchomić „silnik" subiektywnego umysłu, rozwinie on swoją moc i pociągnie wszystko ku dobremu. Ktoś, kto kieruje się mądrością swojego subiektywnego umysłu, nie zazna nigdy porażki ani nie zrobi fałszywego kroku. Zdając się na takiego przewodnika osiągniesz pomyślność i spokój.

STRESZCZENIE

1. Pamiętaj, że wszystkie sukcesy i podziwu godne osiągnięcia nauki doszły do skutku dzięki podświadomości.

2. Kiedy świadomie starasz się rozwiązać trudny problem, podświadomość zbiera wszystkie potrzebne informacje i przetwarza je we właściwą odpowiedź, którą uświadomisz sobie jako intuicję albo olśnienie.

3. Jeśli ktoś znalazł się w trudnej sytuacji, powinien najpierw poszukać wyjścia drogą czysto rozumową. Zbierz

potrzebne informacje przez lektury albo rady kompetentnych ludzi. Jeśli mimo to nie nasunie ci się rozwiązanie, przed zaśnięciem przekaż sprawę podświadomości – a na pewno znajdzie się wyjście.

4. Rozwiązanie nie zawsze przychodzi w ciągu jednej nocy. Nie zniechęcaj się tym i nadal odwołuj się do podświadomości; prędzej czy później bowiem coś cię oświeci.

5. Jeśli ktoś z góry uważa, że rozwiązanie problemu napotka trudności albo że potrwa długo, opóźnia w ten sposób odpowiedź podświadomości. Dla subiektywnego umysłu nie ma nic trudnego, on zna odpowiedź na każde pytanie.

6. Uwierz mocno, że twoja podświadomość ma dla ciebie gotową odpowiedź. Spróbuj poczuć szczęście i ulgę, że problem został rozwiązany. Podświadomość zareaguje na te uczucia.

7. Niezwykła siła podświadomości urzeczywistni każde wyobrażenie, jakie będziesz kreślić z wiarą i uporem. Zaufaj temu, a staną się rzeczy niezwykłe.

8. Twoja podświadomość jest zarazem skarbnicą pamięci. Przechowuje wiernie wszystkie przeżycia od najwcześniejszego dzieciństwa.

9. Naukowcy zajmujący się zachowanymi świadectwami zaginionych kultur ożywiają przeszłość przy pomocy własnej podświadomości.

10. Przed zaśnięciem zlecaj podświadomości rozwiązanie swoich problemów. Zaufaj jej nieskończonej sile, a odpowiedź nie każe na siebie czekać. Podświadomość wie wszystko i wszystko może, bylebyś nie podawał jej mocy w wątpliwość.

11. Twoje myśli przesądzają reakcję podświadomości. Mądre myśli pociągną za sobą mądre decyzje i działania.

12. Podświadomość przemawia do ciebie głosem uczucia, intuicji, natchnienia. Podświadomość to wewnętrzna busola. Kieruj się nią.

Rozdział 13

Podświadomość a cuda snu

Około ośmiu godzin na dobę, czyli mniej więcej jedną trzecią życia, człowiek spędza we śnie. Prawo to, dotyczące także roślin i zwierząt, wydaje się boskim zrządzeniem – i dużo jest prawdy w słowach: „*Tyle daje On i we śnie tym, których miłuje*" (Ps 127,2).

Spotykamy często pogląd, że sen służy uzupełnieniu sił wyczerpanych za dnia. Można się z tym zgodzić tylko przy pewnym zastrzeżeniu. Nawet we śnie działają przecież narządy o żywotnym znaczeniu, takie jak płuca czy serce. Ma miejsce trawienie i przemiana spożytego przed zaśnięciem pokarmu. Skóra nadal wyparowuje z ciała wilgoć, rosną włosy i paznokcie u rąk i nóg. Podświadomość nie zna chwili wytchnienia. Jest ciągle w akcji, kierując wszystkimi żywotnymi funkcjami. We śnie proces uzdrowienia przebiega nawet szybciej niż w czasie czuwania, nie zakłóca go bowiem świadome myślenie. A ileż odpowiedzi dostał już człowiek we śnie!

Po co śpimy

Dr John Bigelow, znakomitość w dziedzinie badań nad snem i autor książki „The Mystery of Sleep" („Tajemnica snu") wydanej w Nowym Jorku (wydawnictwo Harper Brothers) i w Londynie, wykazał, że doznania zmysłowe możliwe są także we śnie. Nerwy wzrokowe, słuchowe i smakowe oraz komórki mózgowe są w pełni czynne. Jego zdaniem człowiek śpi dlatego, że „szlachetniejsza część jego duszy łączy się przez abstrakcję ze swoją wyższą naturą, uczestnicząc tym samym w boskiej mądrości i profetyzmie".

Dalej dr Bigelow stwierdza: „Wyniki badań umocniły mnie w przeświadczeniu, że prawdziwym celem snu nie jest wyzwolenie od trudów dnia. Nie pozostawiły też cienia wątpliwości co do tego, że dla harmonijnego i pełnego rozwoju psychiki żaden aspekt ludzkiego życia nie jest tak niezastąpiony jak właśnie sen, który uwalnia człowieka od wszelkich rozproszeń świata zmysłowego."

Sen rozmową z boskimi siłami

Świadomość ludzka jest przesadnie pochłonięta kłopotami i potrzebami codzienności. Dlatego należy zamykać się przed natłokiem wrażeń zmysłowych i prowadzić ciche rozmowy z nieskończenie mądrą podświadomością. Jeśli ktoś przy tym modli się jeszcze o przewodnictwo, siłę i rozeznanie we wszystkich sprawach, znajdzie wyjście z każdego kłopotu i upora się z codziennymi problemami.

I odwrotnie – modlitwę można też zdefiniować jako rodzaj snu, chodzi tu bowiem o regularne rozmyślanie, które z dala od świata zmysłów i codziennego zamętu otwiera nas na mądrość i siłę podświadomości.

Człowiekowi potrzeba więcej snu

Niewyspanie powoduje pobudliwość, depresje i zmienność nastrojów. Dr George Stevenson z National Association for Mental Health (Towarzystwa Wspierania Zdrowia Umysłowego) powiada: „Można uważać za rzecz dowiedzioną, że do zdrowia potrzeba człowiekowi minimum sześciu godzin snu. Większość ludzi potrzebuje nawet więcej. Łudzi się ten, kto sądzi, że obędzie się mniejszą ilością snu."

Czołowi lekarze zajmujący się badaniem snu odkryli, że zakłócenia snu prowadzą często do załamań nerwowych. Sen uzupełnia rezerwy sił psychicznych, będąc źródłem witalności i radości życia.

Katastrofalne skutki pozbawienia snu

W artykule, który opublikował „Readers Digest", Robert O'Brian opowiada o pewnym eksperymencie:

W ciągu ostatnich trzech lat w waszyngtońskim szpitalu wojskowym i centrum badawczym imienia Waltera Reeda robiono eksperymenty dotyczące snu z ponad stu żołnierzami i cywilami, którzy zgłosili się na ochotnika. Badane osoby przetrzymywano bez snu przez cztery doby. Tysiące testów medycznych utrwalały zmiany w ich zachowaniu i osobowości. Nauka dowiedziała się zaskakujących rzeczy o tajemnicach snu.

Wiemy, że przemęczony mózg potrafi ulec tak przemożnej potrzebie snu, że gotów jest poświęcić wszystko inne. Już po kilku godzinach niewyspania trzy do czterech razy na godzinę zaczęły pojawiać się zaburzenia świadomości zwane „mikrosnem". Podobnie jak w prawdziwym śnie – serce zwalniało bicie, a oczy się zamykały. Ten krótki sen nie trwał nigdy dłużej niż ułamek sekundy; wypełniały go marzenia senne albo nie pozostawiał żadnych wspomnień. Im dłużej badani pozbawieni byli snu, tym częściej i dłużej występowały zaburzenia świadomości, trwające już dwie do trzech sekund. Nawet kierując samolotem w ciężkiej burzy badani nie oparliby się tej przemożnej potrzebie snu. Żaden człowiek nie jest wolny od tej słabości. Być może i ciebie zmógł kiedyś na parę sekund sen za kierownicą.

Również na intelekt i zdolność postrzegania brak snu działał katastrofalnie. Wielu badanych nie było nawet w stanie wykonywać poleceń dawanych im w trakcie pewnych zajęć. Zupełnie bezradni okazywali się w sytuacjach, kiedy po uwzględnieniu różnych czynników mieli wyciągnąć właściwy wniosek i odpowiednio postąpić. Jako kierowcy, na przykład, nie byliby w stanie ocenić prędkości własnej i nadjeżdżającego samochodu oraz rodzaju jezdni tak, by uniknąć zderzenia.

Sen przynosi radę

Pewna młoda osoba pracująca w Los Angeles opowiadała mi kiedyś, że zaproponowano jej dwa razy lepiej płatną posadę w Nowym Jorku. Stojąc wobec wyboru, czy przyjąć tę propozycję czy nie, modliła się przed zaśnięciem następująco: „Moja podświadomość wie, co dla mnie najlepsze. Sprzyja dobru i podszepnie mi właściwą decyzję, która wyjdzie na dobre mnie i wszystkim zainteresowanym. Jestem wdzięczna, ponieważ wiem, że na pewno doczekam słusznej inspiracji."

Powtarzała tę modlitwę, aż zasnęła. Rano jakiś wewnętrzny głos przestrzegł ją z naciskiem, żeby nie jechała do Nowego Jorku. Nie skorzystała zatem z oferty. Wkrótce miało się okazać, jak słusznie postąpiła: parę miesięcy później firma, która chciała ją zatrudnić, ogłosiła upadłość.

Świadomy rozum jest absolutnie zdolny do podjęcia właściwej decyzji na podstawie znanych sobie faktów; podświadomość jednak widzi o wiele głębsze i szersze zależności. Dlatego też jej rady i ostrzeżenia należy – tak jak w opisanym przypadku – brać bardzo poważnie.

Uniknięcie niechybnej katastrofy

Również i z własnego życia nasuwa mi się przykład, jak podświadomość w razie wątpliwości pomaga podjąć właściwą decyzję.

Wiele lat temu, jeszcze przed drugą wojną światową, zaproponowano mi bardzo intratną posadę na Dalekim Wschodzie. Prosiłem podświadomość o radę następującymi słowami: „Przed powszechną mądrością, która spoczywa we mnie, nie ukryje się nic; w zgodzie z boskim porządkiem wskaże mi ona słuszną drogę. Potrafię poznać i zrozumieć daną mi odpowiedź."

Powtarzałem tę prostą modlitwę, aż zasnąłem. We śnie roztoczyła się przede mną nader plastyczna wizja wydarzeń, które miały nastąpić trzy lata później. Ukazał się jeden z moich przyjaciół i powiedział: „Przeczytaj te nagłówki – nie jedź!" Rzuciłem okiem na gazetę i przeczytałem wielkimi literami: „Atak Japończyków na Pearl Harbour! Wojna wypowiedziana!"

Prorocze sny, które i ja miewam, są jednym ze sposobów, w jaki porozumiewa się z nami nasz subiektywny umysł. We wspomnianej wyżej wizji podświadomość wcieliła ostrzeżenie w osobę człowieka, do którego miałem zaufanie i szacunek. Innym ludziom z ostrzeżeniem ukazuje się często matka, która odradza im pewne decyzje, podając powody. Podświadomość wybiera też często głos człowieka, którego na jawie darzymy pełnym zaufaniem. Znane są przypadki, że przechodnie, sądząc, iż słyszą ostrzegawczy krzyk bliskiego człowieka, stawali jak wryci i w ten sposób unikali pewnej śmierci, bo z góry coś spadało.

Szef wydziału psychologii na uniwersytecie Duke, dr Rhine, zgromadził bardzo obszerne dowody na to, że wielu ludzi na całym świecie przewiduje przyszłe wydarzenia lub otrzymuje w plastycznych snach ostrzeżenia przed grożącym nieszczęściem, dzięki czemu mogą go uniknąć.

Mój wspomniany wyżej sen ukazał mi z największą jasnością wizję nagłówków „New York Timesa", donoszące o ataku na Pearl Harbour, którego za trzy lata mieli dokonać Japończycy. Po tym ostrzeżeniu nie przyjąłem pracy na Dalekim Wschodzie. Wybuch drugiej wojny światowej dowiódł rzetelności mojego wewnętrznego głosu.

Twoja przyszłość leży w podświadomości

Pamiętaj, że przyszłość – czyli skutek twoich nawyków myślowych – istnieje już obecnie w twoim umyśle, chyba że skuteczną modlitwą odmienisz obrót rzeczy. Analogicznie do tego – przyszłość kraju zawiera się w jego zbiorowej podświadomości. Mój sen, który poprzez nowojorską gazetę zapowiedział mi wybuch drugiej wojny światowej na parę lat przedtem, nie jest bynajmniej czymś aż tak niezwykłym. W umysłach odbywały się już przecież działania wojenne, precyzyjny instrument, który zwiemy „zbiorową podświadomością", kreślił plany ataków. Podobnie i jutrzejszych wydarzeń już dziś domyśla się nasza podświadomość – ludzie o szczególnych zdolnościach potrafią zaś przewidywać nawet wydarzenia z odległej przyszłości.

Nie istnieje niezmienne przeznaczenie. O swoim losie rozstrzygasz sam postawą umysłu. Przyszłemu życiu możesz nadać pożądany kierunek przy pomocy modlitwy naukowej, którą opisywaliśmy już w poprzednich rozdziałach. *„Jak sobie pościelesz, tak się wyśpisz".*

We śnie zarobił 15 000 dolarów

Trzy albo cztery lata temu jeden z moich studentów przysłał mi korespondencję prasową o człowieku nazwiskiem Ray Hammerstrom, który pracował w walcowni fabryki Jones & Laughlin w Pittsburgu. Zarobił on we śnie piętnaście tysięcy dolarów.

Według autora artykułu zakładowi inżynierowie kilkanaście razy bezskutecznie próbowali naprawić niesprawną zwrotnicę, którą kierowano rozżarzone bloki żelaza do ośmiu zespołów walcowniczych. Hammerstrom zastanawiał się, jak usprawnić to urządzenie, ale i on z początku napotkał trudności nie do przezwyciężenia. Pewnego dnia w trakcie rozmyślań zmorzył go sen; przyśniła mu się przemyślana aż po ostatnie szczegóły konstrukcja zwrotnicy, którą zaraz po przebudzeniu utrwalił na rysunku wykonawczym.

Ta „prorocza drzemka" przyniosła Hammerstromowi czek na piętnaście tysięcy dolarów – największą sumę, jaką to przedsiębiorstwo kiedykolwiek zapłaciło pracownikowi za propozycję ulepszeń.

Jak słynny profesor rozwiązał problem we śnie

Profesor zwyczajny asyriologii na uniwersytecie w Pensylwanii, dr H.V. Helprecht, zrelacjonował nam następujące zdarzenie: „Pewnego sobotniego wieczora znów przerwałem wyczerpujące i daremne odgadywanie rodowodu dwóch małych agatowych fragmentów, które mogły stanowić składnik babilońskiego pierścienia.

Koło północy poszedłem spać i miałem dziwny sen. Rosły kapłan z Nippur, wyglądający na jakieś czterdzieści lat, zaprowadził mnie do świątynnego skarbca – niskiego pomieszczenia bez okien, gdzie na podłodze leżały odłamki agatu i lapislazuli. Odwrócił się do mnie i powiedział: «To, co w swojej książce pokazuje pan osobno na stronach 22 i 26, to nie są części pierścienia, ale kolczyki z posągu bóstwa. Może pan to sprawdzić, łącząc te fragmenty». Zbudziłem się, natychmiast zbadałem te fragmenty i ku wielkiemu zaskoczeniu znalazłem potwierdzenie snu. Problem został rozwiązany."

Oto więc kolejny dowód, że twórcza siła podświadomości ma odpowiedź na każde pytanie.

Jak podświadomość pracowała we śnie dla sławnego pisarza

Robert Louis Stevenson w książce „Across the Plains" poświęca cały rozdział swoim snom. Jego wizje cechowała skrajna plastyczność; co wieczór przed zaśnięciem zwykł wydawać polecenia podświadomości. Przeważnie zlecał jej wymyślanie we śnie fabuły nowych utworów. Kiedy tylko konto bankowe Stevensona wymagało nowego zastrzyku, wydawał podświadomości rozkaz: „Postaraj mi się o dobrą, wciągającą powieść, która będzie się dobrze sprzedawać i da mi dużo pieniędzy". Podświadomość nigdy go nie zawiodła.

Stevenson powiada: „Te małe «krasnoludki» (czyli twórcza siła jego podświadomości) podpowiadają mi żądaną historię po kawałku, jak powieść w odcinkach, trzymając mnie, rzekomego autora, do końca w niepewności". Dodaje: „Tej roboty, którą wykonuję za dnia (czyli na jawie, przy pomocy świadomego rozumu), nie mogę do końca nazwać własną pracą; wiele przemawia za tym, że i w niej maczają palce «krasnoludki»".

Zasypiaj w spokoju i budź się z radością

Jeśli ktoś cierpi na bezsenność, może z dobrym skutkiem stosować poniższą modlitwę. Przed pójściem spać powtarzaj spokojnie i z przejęciem: „Palce u nóg mam rozluźnione, łydki rozluźnione, mięśnie brzucha rozluźnione, serce i płuca rozluźnione, mózg rozluźniony, oczy rozluźnione, twarz rozluźnioną, całe ciało i cały umysł mam rozluźnione. Chętnie przebaczam wszystko wszystkim i z całego serca życzę każdemu harmonii, zdrowia, spokoju i wszystkich dobrodziejstw życia. Jestem w zgodzie ze sobą i ze światem, jestem pogodny i spokojny. Jestem bezpieczny. Ogarnia mnie wielka cisza i wielkie uspokojenie, czuję bowiem bliskość Boga. Moje życzliwe myśli uzdrawiają mnie. Zasypiam w miłości, pełen dobrej woli wobec bliźnich. Przez całą noc zachowam niezmącony spokój, a rano zbudzę się z radością i miłością. Miłość otoczyła mnie ochronnym szańcem. «*Zła się nie ulęknę, bo Ty jesteś ze mną*» (Ps 23,4). Zasypiam w spokoju i budzę się z radością, bo «*w Nim żyję, poruszam się i jestem*»".

STRESZCZENIE

1. Jeśli boisz się, że zaśpisz, podaj podświadomości porę, o jakiej ma cię zbudzić. Ona nie potrzebuje budzika. Tak samo postępuj w każdym kłopocie – podświadomość upora się z wszelkimi problemami.

2. Twoja podświadomość nigdy nie śpi. Wciąż pracuje dla ciebie. Kieruje wszystkimi żywotnymi funkcjami. Przed snem pojednaj się ze sobą i z ludźmi, a wszystko będzie dobrze.

3. Śpiąc otrzymasz radę, być może w formie marzenia sennego. Siły uzdrowicielskie też przepływają przez ciebie we śnie, dzięki czemu rano budzisz się odświeżony i odmłodzony.

4. Jeśli nawet we śnie prześladują cię przykrości i kłopoty dnia, odpręż umysł i pomyśl o mądrości i rozeznaniu, jakie ma twoja podświadomość, zawsze gotowa ci pomóc. Taka myśl ześle ci spokój, siłę i ufność.

5. Sen ma decydujące znaczenie dla psychicznego spokoju i fizycznego zdrowia. Niewyspanie pociąga za sobą pobudliwość, przygnębienie i zaburzenia równowagi psychicznej. Potrzebujesz ośmiu godzin snu.

6. Najnowsze badania medyczne dowiodły, że bezsenność bywa często wstępem do załamań nerwowych. Sen jest źródłem radości i siły.

7. Przemęczony mózg odczuwa tak nieprzepartą potrzebę snu, że poświęci dla niego wszystko inne. Wielu ludzi, którzy zasnęli za kierownicą, może to potwierdzić – jeśli przeżyli.

8. Niewyspanie prowadzi często do osłabienia pamięci i pogorszenia kondycji fizycznej. Człowiek przemęczony nie jest w stanie jasno myśleć.

9. Sen niesie radę. Przed zaśnięciem wpajaj sobie, że we wszystkich sprawach będzie tobą kierować twoja podświadoma mądrość. Uważaj wtedy na znak, jaki dostaniesz – być może już po obudzeniu.

10. Miej do podświadomości pełne zaufanie. Pamiętaj, że ona służy zawsze dobrym siłom. Czasem przemawia do ciebie przez proroczy sen albo wizję. Często w ten sposób podświadomość ostrzega człowieka – czego doświadczył autor tej książki.

11. Już w twoich zwykłych myślach i uczuciach zawiera się przyszłość. Uwierz mocno i powtarzaj sobie, że we wszystkich sprawach kieruje tobą powszechna mądrość, że zaznasz obficie dobrodziejstw życia i czeka cię szczęśliwa przyszłość. Uwierz w to niezachwianie, jak w sprawdzony fakt. Spodziewaj się zawsze najlepszego, a spotka cię najlepsze.

12. Jeśli pracujesz twórczo, przemawiaj przed snem do podświadomości, zapewniając ją, że w swojej mądrości i twórczej sile podsunie ci bezbłędne rozwiązania. Kogoś, kto modli się z taką ufnością, spotkają rzeczy niezwykłe.

Rozdział 14

Podświadomość a problemy małżeńskie

U podstaw wszelkich kłopotów małżeńskich leży nieznajomość sił umysłu i ich działania. Wykorzystując prawa umysłu można usunąć wszystkie tarcia między współmałżonkami. Kto modli się razem, ten razem przetrwa. Rozważanie boskich ideałów, poznawanie praw życia, wypełnianie wspólnych zamierzeń i wspólnie wytyczonych celów oraz korzystanie z odpowiedzialnej wolności stwarzają warunki dla idealnego małżeństwa, do szczęścia i poczucia więzi, które nierozerwalnie łączy dwoje ludzi.

Rozwodowi najlepiej zapobiec zawczasu, a mianowicie już przed ślubem. Nikomu nie można robić zarzutu z tego, że chce się uwolnić od sytuacji nie do zniesienia. Czy jednak musi do niej dojść? Czy nie lepiej zawczasu zwrócić uwagę na przyczyny trudności małżeńskich, czyli uchwycić zło u korzenia?

Rozwody, separacje, unieważnienia małżeństw i związane z nimi nie kończące się spory prawne, podobnie jak wiele innych ludzkich problemów, tłumaczyć można nieznajomością relacji między świadomością a podświadomością.

Podstawa każdego małżeństwa

Prawdziwe i trwałe małżeństwo opiera się na duchowej podstawie. Jest ono sprawą miłości. Uczciwość, szczerość, dobroć i prostolinijność są zarazem warunkiem i wynikiem miłości. Jeśli ktoś żeni się z kobietą wyłącznie dla pieniędzy, pozycji społecznej albo dla dowartościowania siebie, nie zawiera prawdziwego małżeństwa. Takie małżeństwo pozostanie tym, czym było na początku: oszustwem, farsą, pustą maskaradą.

Jeśli z kolei kobieta mówi: „Mam dosyć pracy zawodowej, chciałabym wyjść za mąż, żeby się ustabilizować", wychodzi z fałszywego założenia. Robi zły użytek z praw umysłu i nieprędko zazna szczęścia. Nikt, kto poprawnie zastosuje omawiane w tej książce metody, nie będzie mógł nigdy narzekać na nędzę ani chorobę. W dążeniu do zdrowia, spokoju, radości i wiedzy kobieta nie jest wcale zdana na sukcesy męża, ojca czy brata. Musi jednak poznać drzemiące w jej wnętrzu siły oraz prawa własnego umysłu, będące jedyną niezawodną podstawą bezpiecznej i pomyślnej egzystencji.

Jak przyciągnąć idealnego męża

Przestałaś być naiwną kobietą, która nie zna działania własnej podświadomości. Wiesz, że wszystko, co jej wpoisz, nabierze w życiu widzialnych kształtów. Wypełnij zatem podświadomość żywym wyobrażeniem wszystkich cech, jakie powinien posiadać twój mąż.

Nie ma powodu do rezygnacji. Trzeba działać – jeszcze dziś! Siądź wieczorem w wygodnym fotelu, zamknij oczy, zapomnij o zmęczeniu i codziennych troskach, odpręż się i wpraw w dobry nastrój. Jesteś całkiem bierna i chłonna. Przemów teraz do podświadomości mniej więcej takimi słowami: „Czuję, jak zwraca się ku mnie mężczyzna – uczciwy, szczery, lojalny, wierny, spokojny, szczęśliwy i zamożny. Wszystkie te zalety utrwalają się głęboko w mojej podświadomości. Kiedy oddaję się ich rozważaniu, stają się częścią mojej jaźni i nabierają kształtów w podświadomości. Wiem, że istnieje nieodparta zasada przyciągania, i ufając jej wzywam teraz mężczyznę, który odpowiada moim podświadomym przekonaniom. Jestem niezachwianie pewna, że wszystko, w co uwierzy moja podświadomość, stanie się rzeczywistością. Wiem, że mogę się przyczynić do spokoju i szczęścia tego mężczyzny. Mamy takie same ideały. On pragnie mnie takiej, jaka jestem, a ja też nie chciałabym go zmieniać. Łączy nas uczucie miłości, wolności i wzajemnego szacunku."

Ucz się tych słów, aż wejdą ci w nawyk. Przeżyjesz wielką radość, kiedy w twoim życiu pojawi się mężczyzna o wymarzonych przez ciebie cechach charakteru. Połączy was twoja mądra podświadomość. Rozbudzaj w sobie wszystko, co masz najlepszego – całą miłość i poświęcenie, do jakiego jesteś zdolna. Miłość, jaką będziesz obdarzać, zostanie ci po stokroć wynagrodzona.

Jak mężczyzna przyciąga idealną żonę

Tak samo powinien zrobić mężczyzna, posługując się podobnymi słowami: „Czuję, jak zwraca się ku mnie kobieta, z którą doskonale się uzupełniamy. Między nami zadzierzga się głęboka więź duchowa, a nasza wzajemna skłonność stanie się naczyniem boskiej miłości. Wiem, że potrafię obdarzyć tę kobietę serdecznością, spokojem, szczęściem i radością. Zdołam wypełnić jej życie samym dobrem. Widzę ją przed sobą. Jest wrażliwa, dobra, wierna, szczera, uczuciowa, pełna spokoju i szczęścia. Coś nieodparcie ciągnie nas ku sobie. Będziemy żyć razem w miłości, prawdzie i pięknie. Przypadnie mi w udziale idealna towarzyszka życia."

Kiedy rozmyślasz tak w skupieniu o upragnionym towarzyszu życia i o jego cechach, jego zalety stają się częścią twojej osobowości. Moc porozumiewania, jaką rozporządza podświadomość, połączy ciebie i ukochaną kobietę zgodnie z Bożym zamysłem.

Po co trzeci raz popełniać błąd?

Niedawno pewna nauczycielka powiedziała mi: „Byłam trzy razy zamężna i wszyscy moi partnerzy byli bierni, ulegli i nie mieli cienia inicjatywy. Dlaczego ja trafiam wciąż na zniewieściałych mężczyzn?"

Spytałem, czy już zawczasu odkryła w drugim mężu niezbyt wyrazistą osobowość. Odrzekła: „Oczywiście, że nie; inaczej nigdy bym za niego nie wyszła!" Najwyraźniej niczego się nie nauczyła po pierwszym błędzie. Nieszczęście leżało w jej własnej osobowości. Miała raczej męską naturę – energiczną i władczą. Podświadomie pragnęła człowieka uległego i biernego, który jej pozostawi rolę przywódcy. W postępowaniu powodowała się więc podświadomością, przez co jej skryte wyobrażenia musiały się zrealizować. Musiała teraz nauczyć się, jak przez umiejętną modlitwę rozerwać ten łańcuch przyczyn i skutków.

Jak uwolniła się od negatywnej postawy

Najpierw owa niemłoda już kobieta poznała prostą prawdę: jeśli wierzy, że przyciągnie idealnego partnera, zjawi się on wkrótce w jej życiu. Aby uwolnić się od negatywnych wyobrażeń i znaleźć naprawdę idealnego towarzysza życia, odmawiała następującą modlitwę: „Wpajam umysłowi cechy takiego mężczyzny, za jakim tęsknię. Mój idealny towarzysz życia to silna, oryginalna osobowość. Jest po męsku czuły, uczciwy, lojalny, wierny i ma inicjatywę. Przy mnie znajdzie miłość i szczęście. Z radością pójdę za nim, dokądkolwiek zechce. Wiem, że mnie pragnie i ja pragnę jego. Jestem uczciwa, szczera, czuła i dobra. Mam go czym obdarzyć: dobrą wolą, radością, zdrowym ciałem. To samo on da mnie; wszystko jest wzajemnością, ja biorę i daję. Boska mądrość zna tego mężczyznę i wie, gdzie on jest. Podświadomość nas połączy – rozpoznamy się od razu. Ufam mojej podświadomości i wiem, że spełnienie jest blisko. Już teraz z całego serca za to dziękuję !"

Modlitwę tę odmawiała codziennie rano i wieczorem. Przejęta szczerością swoich słów miała pewność, że stałe rozmyślanie o idealnym partnerze odmieni także ją – jak obraz w zwierciadle.

Jej modlitwa została wysłuchana

Minęło parę miesięcy. Choć miała duży krąg znajomych i często przebywała między ludźmi, nie poznała nikogo, kto odpowiadałby jej oczekiwaniom. Ilekroć jednak ogarniało ją zwątpienie, powtarzała sobie, że podświadomość ma niezawodne sposoby na rozwiązanie każdego problemu. Kiedy jej rozwód się uprawomocnił, podjęła pracę jako pielęgniarka w prywatnym gabinecie lekarskim. Opowiadała mi później, że od pierwszego wejrzenia wiedziała, iż nowy pracodawca to jej wymarzony partner. Najwyraźniej on czuł podobnie: już po tygodniu wspólnej pracy oświadczył się jej i odtąd żyją w szczęśliwym stadle. Lekarz ten nie był bynajmniej typem biernym ani zniewieściałym, ale silnym, bardzo wysportowanym mężczyzną na wysokim poziomie intelektualnym i – przy całym swoim liberalizmie – człowiekiem religijnym.

Jej marzenie stało się rzeczywistością. Wpajała podświadomości swój ideał tak długo, aż umysłowo i uczuciowo utożsamiła się ze swoim wyobrażeniem – tak jak pokarm, który przyjmujemy, staje się częścią naszego organizmu.

Czy mam się rozwieść?

Rozwód jest zawsze indywidualną sprawą, która wymyka się uogólnieniom. Czasami małżeństwo od początku jest wielką pomyłką. Kiedy indziej separacja nie jest żadnym rozwiązaniem, podobnie jak małżeństwo nie musi być receptą na samotność. Niekiedy rozwód wydaje się jedynym wyjściem, kiedy indziej tylko pogarsza sytuację. Rozwódka może być bardziej szczera, przyzwoita i szlachetna niż niejedna czcigodna małżonka, której pożycie małżeńskie jest już tylko kłamstwem.

Rozmawiałem kiedyś z kobietą, której mąż był notowanym narkomanem, nie dawał ani grosza na utrzymanie i znęcał się nad nią w najgorszy sposób. Nie mogła zgodzić się z poglądem, że rozwód jest grzechem. Odparłem jej, że małżeństwo jest sprawą serca. Idealne małżeństwo powstaje tylko wtedy, kiedy dwoje ludzi łączy szczera miłość. Jej przejawem jest każde działanie płynące z serca.

Kiedy to zrozumiała, klamka zapadła. W głębi serca zawsze wiedziała, że żadne boskie prawa nie każą jej znosić psychicznych i fizycznych tortur tylko dlatego, że zadaje je prawnie zaślubiony małżonek.

Jeśli nie wiesz, co robić, módl się o inspirację. Otrzymasz ją na pewno. Idź za wskazówkami podświadomości – ona wskaże ci drogę spokoju.

Jak można znaleźć się na krawędzi rozwodu

Niedawno pewna młoda para, która ledwo przed paroma miesiącami wzięła ślub, postanowiła się rozwieść. Jak się okazało, młody człowiek żył w ciągłym strachu, że żona go opuści; był przekonany o jej niewierności. Takie myśli prześladowały go dzień i noc, aż stały się obsesją; jego umysłem owładnęła wyłącznie myśl o rozwodzie. Ponieważ żona instynktownie czuła jego niechęć, coraz rzadziej potrafiła okazać mu miłość. W zaklętym kręgu tych negatywnych myśli i wyobrażeń ich wzajemny stosunek pogarszał się z dnia na dzień. Oto przykład znanego nam skądinąd prawa przyczyny i skutku, akcji i reakcji. Myśl jest przyczyną, skutkiem zaś reakcja podświadomości.

Pewnego dnia młoda kobieta wyprowadziła się ze wspólnego mieszkania i zażądała rozwodu, co potwierdziło najgorsze obawy jej męża.

Rozwód zaczyna się w umyśle

Każdy rozwód bierze początek w umyśle danych osób – formalności prawne są jedynie późnym, widocznym tego skutkiem. Serca tych dwojga młodych ludzi przepełniał wzajemny strach przed sobą, nieufność, zazdrość i gniew. Taka postawa osłabia i wyczerpuje ciało i umysł. Tym dwojgu przyszło więc doświadczyć na sobie, że nienawiść dzieli, a miłość łączy. Zaczęli sobie uświadamiać, jakie błędy popełniali w umyśle. Żadne z nich nie słyszało dotychczas o duchowym prawie przyczyny i skutku. Nie dostrzegali własnego nadużycia umysłu i skutków, jakie to powoduje. Na moją propozycję młoda para spróbowała uratować swoje małżeństwo. Poradziłem im terapię modlitwą.

Zaczęli na wszelkie sposoby okazywać sobie miłość, dobrą wolę i gotowość porozumienia. Wieczorami na zmianę czytywali sobie psalmy. Jeszcze nie są u końca tej drogi, ale z każdym dniem ich małżeństwo układa się lepiej.

Zrzędliwa żona

Często żona zaczyna zrzędzić tylko dlatego, że czuje się zaniedbana i pragnie więcej miłości i uwagi. Okazuj zatem żonie więcej zainteresowania i chwal jej zalety tak szczerze, jak na to zasługują. Kiedy indziej nieznośne usposobienie kobiet należy tłumaczyć chęcią urobienia męża po swojemu. Trudno o lepszy sposób, by stracić męża!

Współmałżonkom nie wolno wytykać sobie ustawicznie błędów. Powinni raczej chwalić partnera i dziękować mu za wszelkie dobro, jakie w nim i dzięki niemu znajdują.

Zgryźliwy mąż

Kiedy mąż zaczyna żywić do żony urazę i wypominać jej wszystko, co rzekomo wyrządziła mu słowem i czynem, popełnia w pewnym sensie cudzołóstwo. Tak samo bowiem jak niewierny mężczyzna wchodzi w negatywny, destruktywny związek. Ktoś, kto w sercu odrzuca kobietę i wrogo się do niej odnosi, jest niewierny. Łamie bowiem ślub, w którym przyrzekał jej miłość aż do śmierci.

Jeśli ktoś ma skłonność do rozpamiętywania prawdziwych albo urojonych krzywd, powinien pokonać gniew i niechęć. Niech zastanawia się nad sobą; wobec żony powinien być zawsze dobry, uprzejmy i delikatny. Bez trudu uniknie wtedy nieporozumień. Jeśli mąż zacznie dostrzegać zalety żony, uwolni się od destruktywnej zawziętości. Dzięki pozytywnej postawie duchowej poprawi się nie tylko jego związek z żoną, ale i z otoczeniem. Dbaj o wewnętrzną harmonię, a będziesz żyć w zgodzie ze sobą i światem.

Największy błąd

Największy błąd popełnia ktoś, kto omawia swoje małżeńskie problemy z sąsiadami albo rodziną.

„Mąż nie potrafi zarobić. Do mojej matki odnosi się okropnie, nic tylko by pił, wobec mnie jest coraz bardziej napastliwy i ordynarny." Któż nie zna kobiety, która w ten albo podobny sposób nie obmawia męża przed sąsiadami i krewnymi?

Problemy małżeńskie omawiaj wyłącznie z doświadczonymi specjalistami i osobami do tego powołanymi. Dlaczego zależy ci na tym, by jak najwięcej ludzi myślało źle o twoim małżeństwie? Pomijając już to, że roztrząsanie wad i słabości współmałżonka przyswaja te cechy tobie. Kto bowiem wypowiada te negatywne myśli, kto je hoduje? Ty! A tacy jesteśmy, jak myślimy i czujemy.

Krewni na ogół nie potrafią dobrze doradzić; z reguły przejmują się takim małżeńskim kryzysem i są stronniczy. Należy odrzucać każdą radę, jaka narusza złotą zasadę: *„Wszystko, co byście chcieli, żeby wam ludzie czynili, i wy im czyńcie"* (Mt 7,12). Warto pamiętać, że nawet w najlepszych małżeństwach występują czasem napięcia, nieporozumienia i okresy pewnej obcości. Zachowuj to przy sobie i nie włączaj nigdy znajomych i przyjaciół w swoje problemy małżeńskie. Za wszelką cenę unikaj krytykowania i obmawiania współmałżonka.

Nie próbuj urabiać żony

Mąż, który chciałby zrobić z żony własną kopię, postępuje niemądrze i naraża małżeństwo. Kobieta bowiem odbierze takie próby jako pogwałcenie swojej osobowości. Takie zachowanie męża wzbudzi w niej sprzeciw, raniąc jej dumę i poczucie wartości. Nic więc dziwnego, że małżeństwo zostaje przez to wystawione na ciężką próbę.

Docieranie się partnerów jest oczywiście potrzebne. Jeśli ktoś jednak uczciwie przyjrzy się własnemu wnętrzu, charakterowi i zachowaniu, znajdzie tyle wad i słabości, że do końca życia będzie miał z czym walczyć. Gdy ktoś mówi: „Chciałbym wychować partnera po swojemu", wpędza się w niebezpieczne dla małżeństwa kłopoty. Nie ominie go surowa lekcja tego, że każdy człowiek powinien przede wszystkim pracować nad sobą.

Trzy kroki, które niosą dobrodziejstwa

Pierwszy krok: Drobne tarcia i nieporozumienia staraj się załagodzić jak najprędzej, jeszcze tego samego dnia. Przed pójściem spać nie zapomnij z całego serca przebaczyć wszystkiego współmałżonkowi. Zaraz po przebudzeniu pomódl się, by przez cały dzień kierowała tobą powszechna mądrość. Wspomnij przy tym z miłością współmałżonka, rodzinę i całą ludzkość.

Drugi krok: Przy śniadaniu razem odmawiajcie modlitwę. Dziękujcie za smaczny i obfity posiłek oraz za wiele innych dobrodziejstw, jakich zaznajecie. Przy wszystkich wspólnych posiłkach unikaj rozmowy o kłopotach albo drażliwych sprawach. Mów do żony albo męża: „Doceniam wszystko, co dla mnie robisz, i przez cały dzień będę myśleć o tobie z czułością”.

Trzeci krok: Mąż i żona powinni co wieczór na zmianę głośno się modlić. Nie traktuj obecności współmałżonka jak czegoś oczywistego. Okazuj mu miłość i szacunek. Zastanawiaj się, jak słowem i czynem sprawić partnerowi radość, zamiast zrzędzić, obmawiać go i krytykować. Najpewniejszym fundamentem szczęśliwego małżeństwa i rodziny jest miłość, piękno, harmonia, wzajemny szacunek, wiara w Boga i w ludzkie dobro. Zanim pójdziesz spać, przeczytaj psalm 27. i 91., 11. rozdział listu do Hebrajczyków, 13. rozdział pierwszego listu do Koryntian i inne fragmenty z Biblii, które są źródłem bogactwa dla serca i umysłu. Kto trzyma się zawartych tam zasad, zobaczy, że z roku na rok jego małżeństwo będzie się układało coraz pomyślniej.

STRESZCZENIE

1. Przyczyną rozpadu wszystkich małżeństw jest nieznajomość praw psychiki i umysłu. Kto modli się razem, ten razem zostanie.

2. Rozwodowi najlepiej zapobiec przed ślubem. Jeśli ktoś umie się modlić, znajdzie odpowiedniego partnera.

3. Małżeństwo łączy mężczyznę i kobietę w miłości. Przeznaczeniem i szczęściem są dla nich jedność i wspólnota.

4. Samo małżeństwo nie jest jeszcze źródłem szczęścia. Dopiero dzięki znajomości wiecznych prawd oraz wartości duchowych mąż i żona mogą darzyć się radością i szczęściem.

5. Odpowiedniego towarzysza życia można znaleźć poprzez medytację nad upragnionymi cechami, jakie chcielibyśmy w nim odnaleźć. Podświadomość łączy partnerów.

6. Wizerunek idealnego współmałżonka, jaki sobie wyobrazisz w umyśle, odmieni także twoją naturę. Chcąc znaleźć uczciwego, szczerego i czułego towarzysza życia, trzeba posiąść te cechy samemu.

7. Trzeba uczyć się na własnych błędach, zamiast je powielać. Jeśli ktoś jest przekonany, że znajdzie idealnego partnera, otrzyma to, w co wierzy. Wierzyć to uznawać prawdziwość czegoś.

8. Nie zastanawiaj się nad tym, jak, kiedy i gdzie znajdziesz upragnionego partnera. Zaufaj mądrej podświadomości. Ona ma swoje sposoby i nie potrzebuje twojej pomocy.

9. Jeśli ktoś odnosi się do współmałżonka z małostkową złośliwością i niechęcią, już się z nim w duchu rozwiódł. Zachowuj to, co przyrzekałeś na ślubie: miłość, wierność i uczciwość małżeńską.

10. Nie ulegaj negatywnym odczuciom wobec partnera. Roztaczaj aurę spokoju, harmonii, miłości i dobrej woli – a z roku na rok będziecie szczęśliwsi w małżeństwie.

11. Myślcie o sobie nawzajem z miłością, spokojem i dobrą wolą. Swoim wpływem na podświadomość możesz tworzyć zaufanie, przychylność i szacunek.

12. Jeśli żona ma skłonność do zrzędzenia, znaczy to zwykle, że pragnie tylko trochę więcej miłości i ciepła. Okazuj jej więc zainteresowanie i szacunek, chwal jej zalety.

13. Ktoś, kto kocha żonę, nie urazi jej czynem ani słowem. Tyle w nas miłości, ile jej potrafimy okazać.

14. W sprawach małżeńskich zasięgaj wyłącznie rady osób kompetentnych. Gdy chcesz wyrwać ząb, nie idziesz do stolarza. Równie nieprzydatne w sprawach małżeńskich są rady rodziny albo przyjaciół.

15. Nigdy nie próbuj urabiać żony czy męża. Próby takie będą zawsze chybione, zagrażając waszemu małżeństwu. Mogą najwyżej zniszczyć w partnerze poczucie wartości i wzbudzić w nim sprzeciw.

16. Módlcie się razem, a przetrwacie razem. Modlitwa naukowa rozwiązuje wszelkie problemy. Wyobrażaj sobie żonę tak radosną, szczęśliwą, zdrową i piękną, jaką chciałbyś, by była. Wyobrażaj sobie męża takiego, jakiego pragniesz: silnego, rzetelnego, czułego, zrównoważonego i dobrego. Wyrób w sobie nawyk takich myśli i wyobrażeń – a przekonasz się, że małżeństwo może być rajem na ziemi.

Rozdział 15

Podświadomość a twoja pomyślność

Ojciec amerykańskiej psychologii William James powiedział kiedyś, że największych odkryć w XIX wieku dokonano nie w naukach przyrodniczych. Największą rewelacją, jego zdaniem, było odkrycie niezwykłej pod każdym względem siły, jaką może rozwinąć podświadomość powodowana niezachwianą wiarą.

Prawdziwe i trwałe szczęście wtedy wkroczy do twojego życia, kiedy z całą wyrazistością odkryjesz, że przy pomocy podświadomości możesz przezwyciężyć w sobie każdą słabość i pokonać wszelkie kłopoty; kiedy zrozumiesz, że potrafi ona uzdrawiać twoje ciało i darzyć cię szczęściem, które przerośnie twoje najśmielsze oczekiwania.

Być może, kiedy zdałeś maturę albo zdobyłeś gdzieś pierwszą nagrodę, kiedy brałeś ślub albo kiedy urodziło ci się pierwsze dziecko, sądziłeś, że przeżywasz chwilę największego szczęścia. Komu innemu wydał się nią dzień zaręczyn; wiele rzeczy uszczęśliwia człowieka. Jakkolwiek jednak wielkie byłyby to przeżycia, nie dają one prawdziwie trwałego szczęścia – bo przemijają.

Jedyną niezmiennie słuszną odpowiedź znajdziemy

w Księdze przysłów, w której mowa jest: *„Kto Panu zaufał – szczęśliwy"* (Prz 16,20). Kiedy bez reszty oddasz się przewodnictwu Boga, zawsze obecnemu w twojej podświadomości, zdołasz przyjąć wszelkie problemy życiowe ze spokojem i pogodą. Przepełniony miłością, spokojem i dobrą wolą położysz w ten sposób fundament pod szczęście, które będzie ci towarzyszyć całe życie.

Musisz wybrać szczęście

Szczęście jest sprawą nastawienia umysłu. Biblia powiada: *„Wybierzcie sobie w ten dzień tego, komu chcecie służyć"*. Wolno ci wybrać szczęście. Może się to wydać zaskakująco proste i takie też jest. Być może dlatego właśnie wielu nie potrafi znaleźć szczęścia: nie mogą uwierzyć, że tak łatwo otworzyć jego furtkę. A jednak wszystkie naprawdę wielkie sprawy w życiu są proste, dynamiczne i twórcze.

To, jak pojmować szczęśliwe i dynamiczne życie, wyjawia nam św. Paweł w następujących słowach: *„W końcu, bracia, wszystko, co jest prawdziwe, co godne, co sprawiedliwe, co czyste, co miłe, co zasługuje na uznanie: jeśli jest jakąś cnotą i czynem chwalebnym – to miejcie na myśli"* (Flp 4,8).

Jak wybrać szczęście

Jeszcze dziś naucz się wybierać szczęście. Sposób jest niezwykle prosty. Gdy tylko otworzysz rano oczy, powiedz sobie: „Wola Boża układa dziś i zawsze moje życie. Wszystko dzisiaj obróci się na moją korzyść. Dzisiaj zaczyna się nowy i piękny dzień – szczęśliwszy niż jakikolwiek przedtem. Kieruje mną boska mądrość, a Bóg błogosławi wszystkiemu, co dzisiaj zrobię. Otacza mnie i chroni Boża miłość; idę ku światłu. Ilekroć zacznę odbiegać myślami od tego, co dobre i konstruktywne, natychmiast przywołam się do porządku i skupię wyłącznie na dobru i pięknu. Jestem duchowym i psychicznym magnesem, który przyciąga szczęście i dobro. Wszystkie moje dzisiejsze przedsięwzięcia przyniosą niebywały sukces. Przez cały dzień będę bez reszty szczęśliwy."

W ten sposób zaczynaj każdy dzień, a wtedy będą ci towarzyszyć radość i pomyślność.

Szczęście weszło mu w nawyk

Parę lat temu spędziłem około tygodnia w wiejskim domu w Connemarra na zachodnim wybrzeżu Irlandii. Gospodarz co dzień pogwizdywał, podśpiewywał, był radosny. Kiedy spytałem go o powód tej radości, odrzekł: „Przywykłem być szczęśliwy. Codziennie, gdy się budzę i kiedy zasypiam, błogosławię rodzinę, pola, bydlątka, i dziękuję Bogu za obfite zbiory."

Przez czterdzieści lat wyrabiał w sobie ten nawyk. Ten prosty irlandzki chłop odkrył zatem tajemnicę, która polega na funkcji podświadomości: odkrył, że szczęście jest po prostu nawykiem i skutkiem pozytywnego myślenia.

Musisz szczerze pragnąć szczęścia

Kto szuka szczęścia, powinien spełnić ważny warunek wstępny: musi go pragnąć całym sercem. Niektórzy ludzie poddawali się smutkowi i przygnębieniu, tak długo wręcz „kultywowali" te odczucia, że teraz nie potrafią się już cieszyć radosną nowiną i reagują tak, jak pewna kobieta, która powiedziała mi kiedyś: „To grzech być tak szczęśliwym!" Ludzie o takim nieszczęśliwym usposobieniu przyzwyczaili się do swoich negatywnych wzorców myślowych tak bardzo, że nie umieją już korzystać ze szczęścia! Choć brzmi to nieprawdopodobnie, tęsknią do ulubionego stanu depresji, który wszedł im w nawyk.

W Anglii poznałem kiedyś kobietę, która od wielu lat cierpiała na reumatyzm. Miała zwyczaj gładzić kolano i mówić:

„Dzisiaj znów jest gorzej z tym moim reumatyzmem! Nie mogę ruszyć się z domu. Tak się męczę!”

Nieustanne skargi starszej pani budziły współczucie jej syna, córki i sąsiadów, dzięki czemu ze wszystkich stron obsypywano ją grzecznościami. Tak naprawdę więc reumatyzm był jej na rękę. Wyraźnie rozkoszowała się swoimi rzekomymi „dolegliwościami”. W gruncie rzeczy wcale nie chciała być szczęśliwa.

Zaproponowałem jej niezawodną metodę leczenia. Zapisałem kilka wersetów z Biblii, mówiąc, że odpowiednie skupienie się na tych prawdach na pewno zmieni nastawienie jej umysłu, przywróci jej nadzieję i zdrowie. Starszej pani jednak ani trochę na tym nie zależało. Wielu ludzi ma szczególną, chorobliwą skłonność do potępiania siebie, a zarazem użalania się nad sobą. Nędza i smutek są im najmilszym towarzyszem.

Po co wybierać nieszczęście?

Wielu ludzi staje na drodze własnemu szczęściu, oddając się na przykład takim myślom: „Dzisiaj jest fatalny dzień; wszystko na nic!”, „Dzisiaj znowu nic mi się nie uda!”, „Wszyscy są przeciwko mnie!”, „Sprawy idą coraz gorzej!”, „Ja to dopiero mam pecha!”, „Jego stać na wszystko, a mnie na nic!” Ktoś, kto zaczyna dzień od takich myśli, nie może liczyć na pomyślność, nie może nie być nieszczęśliwy. Wielki filozof rzymski Marek Aureliusz powiadał: „To myśli są tym, co szczęśliwie lub nieszczęśliwie układa człowiekowi życie”. Wielki amerykański filozof Emerson wyraził się następująco: „Człowiek jest tym, o czym przez cały dzień myśli”. Nawyki myślowe dają więc rychło – jak już skądinąd wiemy – odpowiednie wyniki, przesądzając w ten sposób o wydarzeniach.

Dlatego za wszelką cenę unikaj negatywnych myśli, zniechęcenia i nieżyczliwych nastrojów. Pamiętaj, że nie może cię spotkać nic, co nie wzięło początku w twoim umyśle.

Byłbym szczęśliwy, gdybym miał milion dolarów

W zakładach leczniczych spotykałem wielu ludzi, którzy twierdzili, że żyją w całkowitej nędzy – mimo iż byli milionerami. Kierowano ich tam z rozpoznaniem paranoi, stanów maniakalno-depresyjnych albo innych psychoz. Samo bogactwo nie daje szczęścia. Z drugiej jednak strony, jedno się z drugim nie kłóci. Wielu ludzi nabywając radia, telewizory, dom, posiadłość na wsi, jacht, basen pływacki, próbuje znaleźć w ten sposób szczęście. Ale szczęścia nie można kupić.

Szczęście wyrasta tylko z odpowiedniej postawy umysłu. Zbyt wielu ludzi lokuje pragnienie szczęścia w sprawach czysto zewnętrznych: „Gdyby mnie wybrali burmistrzem, byłbym szczęśliwy!"

Czy jednak będąc już burmistrzem, kierownikiem, dyrektorem generalnym, poczujesz się szczęśliwszy? Szczęście jest stanem umysłu i psychiki. Źródłem ludzkiej siły, radości i szczęścia jest boski ład i słuszne postępowanie. Te dynamiczne prawa trzeba odkryć we własnej podświadomości oraz urzeczywistniać we wszystkich dziedzinach życia.

Szczęście było dla niego owocem wewnętrznego spokoju

Kiedy parę lat temu wygłaszałem w San Francisco cykl wykładów, zjawił się u mnie mężczyzna, który czuł się nieszczęśliwy ze względów zawodowych. Był prokurentem; rozgoryczony buntował się wewnętrznie przeciw dyrektorowi generalnemu i jego zastępcy. Twierdził, że obaj rzucają mu kłody pod nogi. Ta wewnętrzna niechęć pogarszała wyniki jego pracy, przez co nie dostawał premii za wydajność ani udziałów z zysku.

Rozwiązał problem znanym nam sposobem. Zaraz po obudzeniu powtarzał z niezachwianym przekonaniem: „Wszyscy moi współpracownicy i przełożeni są szczerzy, uczynni, lojalni i pełni dobrej woli w stosunku do innych. Pod względem intelektualnym i psychicznym stanowią najważniejsze ogniwa w łańcuchu, który przyczynia się do rozwoju i sukcesów przedsiębiorstwa. We wszystkich myślach, słowach i czynach jestem bezkonfliktowy, okazuję zwierzchnikom i współpracownikom sympatię i dobrą wolę. Dyrektorem generalnym i jego zastępcą kieruje na każdym kroku boska mądrość. Wszechogarniające rozeznanie mojej podświadomości inspiruje mnie we wszystkich decyzjach. Wszystkie nasze transakcje zmierzają do słusznych i sprawiedliwych rozwiązań. Kiedy idę do biura, poprzedzają mnie myśli o spokoju, miłości i dobrej woli. Zrównoważeni i bezkonfliktowi – podobnie jak ja – są wszyscy pracownicy firmy. Zaczynam ten nowy dzień z ufnością i wiarą w dobro!"

Tę bardzo przemyślaną medytację nasz prokurent powtarzał każdego ranka trzy razy. Ilekroć w ciągu dnia nachodził go lęk albo rozdrażnienie, mówił do siebie: „Przez cały dzień w moim sercu i umyśle panuje spokój, harmonia i równowaga!"

Poddawał się tej duchowej dyscyplinie przez pewien czas – i oto jego wcześniejsze niedobre myśli gdzieś znikły; nic już nie było w stanie zakłócić spokoju jego ducha.

Uwewnętrznienie tej postawy przyniosło obfity plon. Otóż po jakimś czasie obaj dyrektorzy wezwali go i – jak pisał do mnie w liście – wyrazili uznanie dla jego pracy i nowych, konstruktywnych propozycji. Poznali się na jego zdolnościach, a on odkrył, że człowiek może znaleźć szczęście tylko w sobie.

W rzeczywistości nie istnieją przeszkody

Parę lat temu czytałem w gazecie, jak pewien koń nagle spłoszył się, widząc pniak na skraju drogi. Odtąd powtarzało się to za każdym razem, kiedy wymijał to miejsce. W końcu chłop wykopał i spalił stary pniak i wyrównał w tym miejscu grunt. Ale jeszcze dwadzieścia pięć lat później koń płoszył się, ilekroć zbliżał się do tego miejsca. Jego reakcję wywoływała zatem wyłącznie pamięć.

Również i ty w drodze do szczęścia nie napotkasz żadnych przeszkód, prócz tych, które sam wzniesiesz w myślach i w wyobraźni. Czy płoszy cię strach albo zmartwienia? Strach to tylko myśl. Już teraz możesz wykorzenić wszelkie zahamowania, zastępując je wiarą w sukces, we własne zdolności i w pokonanie każego problemu.

Poznałem kiedyś pewnego biznesmena, któremu się nie powiodło. Powiedział mi: „Robiłem błędy, na których dużo się nauczyłem. Teraz zakładam nowe przedsiębiorstwo, które poprowadzę do wielkich sukcesów." Miał odwagę dostrzec przeszkodę we własnym umyśle. Nie trwonił czasu na jałowe narzekania, ale „wykopał pniak": wiarą w swoje wewnętrzne siły odegnał wszelkie depresje, których szkodliwość zrozumiał. Nabierz zaufania do siebie, a doczekasz sukcesów i pomyślności.

Najszczęśliwsi ludzie

Najszczęśliwszy jest ten, kto zawsze i wszędze daje to, co ma najlepszego. Szczęście i cnota są ze sobą nierozdzielnie związane. Ludzie dobrzy są szczęśliwi i zwykle umieją też pomyślnie układać sobie życie. Tym, co w tobie najlepsze, jest Bóg. Dawaj więc silniej wyraz Bożej miłości, światłości, prawdzie i pięknu – a będziesz jednym z najszczęśliwszych ludzi na świecie.

Grecki filozof szkoły stoickiej, Epiktet, powiedział: „Do szczęścia i wewnętrznego spokoju prowadzi tylko jedna droga. Polega ona na tym, żeby nigdy – czy to budząc się o świcie, czy to przez cały dzień, czy wieczorem, kiedy sen klei ci powieki – nie trwonić ani jednej myśli na sprawy posiadania i zewnętrznej strony życia – lecz wszystko to i całe swoje życie zawierzyć Bogu."

STRESZCZENIE

1. William James powiedział, że największą rewelacją XIX wieku było odkrycie ogromnej siły, jaką jest podświadomość inspirowana przez wiarę.

2. Tkwi w tobie nieskończona moc. Kiedy nauczysz się ufać wewnętrznym siłom, w twoim życiu nastanie pomyślność i zrealizują się twoje marzenia.

3. Dzięki niezwykłej sile podświadomości możesz przezwyciężyć każdy problem i każdą słabość oraz urzeczywistnić swoje pragnienia. Takie jest znaczenie biblijnych słów, które są potwierdzeniem praw podświadomości: *„Kto Panu zaufa – szczęśliwy"*.

4. Musisz wybrać szczęście. Szczęście jest nawykiem. Warto stale przypominać sobie słowa: *„W końcu, bracia, wszystko, co jest prawdziwe, co godne, co sprawiedliwe, co czyste, co miłe, co zasługuje na uznanie: jeśli jest jakąś cnotą i czynem chwalebnym – to miejcie na myśli"* (Flp 4,8).

5. Powtarzaj sobie po przebudzeniu: „Dzisiaj wybieram szczęście. Dzisiaj wybieram sukces. Dzisiaj wybieram słuszne postępowanie. Dzisiaj wybieram miłość i dobrą wolę wobec wszystkich ludzi. Dzisiaj wybieram spokój." Wypełniaj te postanowienia treścią – a w ten sposób wybierzesz szczęście.

6. Kilka razy dziennie dziękuj za dobrodziejstwa, jakie ci przypadły. Módl się też o pomyślność rodziny, kolegów, a także o pokój dla wszystkich ludzi.

7. Musisz naprawdę pragnąć pomyślności. Bez prawdziwego pragnienia nic nie dojdzie do skutku. Twoje pragnienie będą uskrzydlać wiara i wyobraźnia. Wyobrażaj sobie, jak twoje marzenie się spełnia, uwierz w jego urzeczywistnienie, a stanie się ono prawdą; zaowocuje wysłuchaniem modlitw.

8. Kto ciągle oddaje się myślom o strachu, nienawiści, gniewie i niepowodzeniu, będzie się czuć przygnębiony i nieszczęśliwy. Pamiętaj, że myślami układasz sobie życie.

9. Szczęścia nie można kupić za żadne pieniądze. Niektórzy miliarderzy są szczęśliwi, inni nie. Jest wielu niezamożnych ludzi, którzy czują się szczęśliwi, jest też wielu nieszczęśliwych. Małżonkowie bywają szczęśliwi albo nie; podobnie ludzie w stanie wolnym. Szczęście to "reżim", który rządzi twoimi uczuciami i myślami.

10. Szczęście to owoc wewnętrznego spokoju. Skupiaj myśli na równowadze wewnętrznej, poczuciu bezpieczeństwa i Bożym przewodnictwie, a twój umysł będzie źródłem szczęścia.

11. W drodze do szczęścia nie istnieją przeszkody. Sprawy zewnętrzne nie mają na nic wpływu i nigdy nie są przyczyną czegokolwiek. Pozwól, by kierowała tobą ukryta wewnętrzna zasada twórcza. Każda myśl jest przyczyną, a każda nowa przyczyna stwarza nowy skutek. Wybierz pomyślność.

12. Najszczęśliwszy jest ktoś, kto zawsze daje to, co ma najlepszego. Tym, co w tobie najlepsze, jest Bóg; na każdego z nas czeka Królestwo Boże.

Rozdział 16

Podświadomość a harmonijne stosunki z otoczeniem

Dzięki lekturze tej książki nauczyłeś się traktować podświadomość jako rodzaj przyrządu rejestrującego, który wiernie utrwala wszelkie wrażenia. To jeden z głównych powodów, dla których w stosunkach z ludźmi powinniśmy przestrzegać złotej zasady, o której czytamy w Ewangelii według św. Mateusza: *„Wszystko więc, co byście chcieli, żeby wam ludzie czynili, i wy im czyńcie"* (Mt 7,12).

Zdanie to stanowi nie tylko praktyczną zasadę postępowania, ale ma także głębsze znaczenie. W związku z podświadomością należy je rozumieć następująco: To, co chcesz, żeby ludzie o tobie myśleli, ty myśl o nich. To, co chcesz, żeby ludzie do ciebie czuli, ty czuj do nich. Tak, jak chcesz, żeby ludzie z tobą postępowali, ty postępuj z nimi.

Może jakiemuś koledze w pracy okazujesz życzliwość, uprzejmość, sympatię – ale ledwo się odwróci, twoja niechęć do niego bierze górę. Unikaj tego za wszelką cenę! Tego rodzaju negatywne myśli najbardziej szkodzą tobie, powodują rodzaj samozatrucia. Gdy w taki sposób wpływasz na swoje myślenie, pozbawiasz się radości życia, entuzjazmu, siły, wewnętrznego rozeznania i zrozumienia dla innych. Takie niszczycielskie myśli i uczucia zapadają ci w podświadomość i ściągają na ciebie wszelkie możliwe kłopoty i cierpienia.

Złoty klucz do ludzkich serc

„Nie sądźcie, abyście nie byli sądzeni. Bo takim sądem, jakim sądzicie, i was osądzą; i taką miarą, jaką wy mierzycie, i wam odmierzą” (Mt 7,1–2).

Ktoś, kto zrozumiał głęboką prawdziwość tych słów i przejął się nimi, znalazł złoty klucz do ludzkich serc. Osądzanie jakiejś osoby albo sytuacji jest bowiem procesem myślowym. To, jak oceniasz otoczenie, wynika z twoich myśli. Cechują się one twórczą dynamiką, która urzeczywistnia w tobie to, co pomyślisz i poczujesz wobec innych. Podobnie wszystko, co zasugerujesz innym, ma też wpływ na ciebie – twój umysł bowiem jest medium twórczym.

Dlatego mowa jest: *„Bo takim sądem, jakim sądzicie, i was osądzą”*. Kiedy ktoś pozna to prawo podświadomości, będzie starał się przede wszystkim o to, aby nigdy wobec innych ludzi nie pomyśleć, nie zrobić ani nie odczuwać niczego niesprawiedliwego. Jednocześnie słowa te odsłonią przed tobą tajemnicę tego, jak zadowalająco rozwiązywać wiele ludzkich problemów.

„I taką miarą, jaką wy mierzycie, i wam odmierzą”

Dobro, jakie wyświadczysz bliźnim, zostanie ci w równej mierze wynagrodzone; i to samo duchowe prawo stanowi, że niegodziwości mszczą się na swoim sprawcy. Ktoś, kto podstępnie oszukuje bliźnich, popełnia w ostatecznym rachunku oszustwo wobec siebie. Poczucie winy skieruje jego myślenie na negatywne tory, prędzej czy później powodując różne przykrości; podświadomość rejestruje bowiem każdy proces, reagując zgodnie z chwilową motywacją człowieka.

Twoja podświadomość jest ponadosobowa i niezmienna. Działając nie ma względu na osobę, jej wyznanie czy stanowisko. Nie zna ani współczucia, ani zemsty. Twój sposób myślenia, odczuwania i postępowania wobec bliźnich określa przebieg twojego życia.

Nagłówki w gazecie przyprawiły go o chorobę

Zacznij od dzisiaj obserwować siebie i badać swoje reakcje na ludzi, sytuacje i fakty. Jakie wrażenie robią na tobie wiadomości dnia? Nie ma tu znaczenia, czy twoje poglądy są uzasadnione i jedynie słuszne. Jeśli bowiem jakakolwiek wiadomość jest w stanie cię zdenerwować, powinieneś ją odrzucić – choćby dlatego, że wszelkie negatywne uczucia burzą wewnętrzną równowagę.

Pewna pani napisała kiedyś do mnie, że jej mąż regularnie wpada w gniew czytając artykuły pewnego dziennikarza. Dodała, że te ledwo hamowane wybuchy wściekłości przyprawiły męża o wrzody żołądka, przez co lekarz domowy zalecił mu pilnie terapię psychiczną. Poprosiłem tego pana do siebie, przedstawiłem mu działanie ludzkiego umysłu i otwarłem mu oczy na to, jaką niedojrzałością jest oburzanie się na czyjś artykuł dlatego, że samemu ma się inne poglądy.

Wkrótce zrozumiał, że nie powinien innym odmawiać prawa do wyrażania opinii, choćby nie zgadzały się z jego własnymi; z drugiej strony, że i on ma prawo do przedstawienia swoich poglądów. Mój pacjent musiał się nauczyć, że można mieć całkowicie odmienne zdanie, nie wpadając w agresję. W końcu zaświtała mu równie prosta, co podstawowa prawda, że liczyć się dla niego nie powinny czyjeś słowa albo czyny, lecz wyłącznie własna reakcja na nie.

To zrozumienie przywróciło mojemu pacjentowi zdrowie, i wkrótce jego poranne napady szału należały już do przeszłości. Jego żona opowiadała mi później, że jej mąż przyjmuje artykuły tamtego dziennikarza z rozbawieniem i że śmiać mu się chce na myśl o dawnych, bezsensownych atakach wściekłości. Wkrótce też, gdy mój pacjent dzięki umysłowej przemianie odzyskał wewnętrzną równowagę, znikły jego wrzody żołądka.

„Nie cierpię kobiet, toleruję tylko mężczyzn"

Pewna sekretarka toczyła wojnę z niektórymi koleżankami z pracy, ponieważ wciąż o niej plotkowały i rzekomo rozpowiadały na jej temat kłamstwa. Otwarcie przyznała mi: „Nie cierpię kobiet, toleruję tylko mężczyzn". Odkryłem też, że wobec podległych jej pracownic przybierała butny, władczy i rozdrażniony ton. Zachowanie takie usprawiedliwiała tym, że jej pracownice lubują się jakoby w utrudnianiu jej życia. Z drugiej strony jednak jej sposób bycia łatwo mógł zniechęcić do niej otoczenie. Jeśli i tobie działają na nerwy koleżanki i koledzy w biurze albo w fabryce, to czy nie trzeba tłumaczyć tych napięć przede wszystkim twoją podświadomą niechęcią? Niektóre stworzenia, zwłaszcza psy, wyczuwają ludzi nie lubiących zwierząt i odpowiednio napastliwie na nich reagują. Szósty zmysł, który pozwala przeczuwać tego rodzaju psychiczne wibracje, ma również wielu ludzi.

Sekretarce, która żywiła taką niechęć do przedstawicielek własnej płci, zaleciłem modlitwę naukową. Wyjaśniłem jej również, że poznanie i zastosowanie podstawowych praw życia odmieni wkrótce jej charakter i sposób bycia, co sprawi, że antypatia do kobiet zniknie. Wydawała się bardzo zaskoczona słysząc, że nienawiść zdradza się w słowach, czynach, w charakterze pisma i innych przejawach ludzkiej osobowości. Wymyśliła wtedy ćwiczenie modlitewne, które uprawiała regularnie i sumiennie.

Jej modlitwa brzmiała, jak następuje: „Myślę, mówię i działam z miłością i spokojem. Odtąd jestem życzliwa i bezkonfliktowa wobec wszystkich pracownic, które mnie krytykują i obgadują. Moje myślenie zmierza wyłącznie ku wewnętrznemu i zewnętrznemu zrównoważeniu i zgodzie z ludźmi. Kiedy najdzie mnie pokusa negatywnej reakcji, przywołam się surowo do porządku, zgodnie z zasadą: «Zawsze myśl, mów i postępuj według obecnego w tobie prawa harmonii, zdrowia i spokoju». Na wszystkich drogach kieruje mną twórcza mądrość." Odkąd wyrobiła w sobie nawyk codziennego odmawiania tej modlitwy, dokonała się w jej życiu całkowita przemiana. Skończyły się wszelkie krytyki i tarcia w biurze. Jej dawne „podwładne" stały się dla niej prawdziwymi współpracownicami i przyjaciółkami. Wszystko to zawdzięczała rewelacyjnemu odkryciu, że należy zmieniać nie innych, lecz wyłącznie siebie.

Jego wewnętrzny monolog uniemożliwiał awans

Pewnego dnia zjawił się u mnie pewien przedstawiciel handlowy i opowiedział o swoich kłopotach z kierownikiem działu sprzedaży. Mimo że pracował w przedsiębiorstwie dziesięć lat, nigdy jeszcze nie otrzymał awansu ani najmniejszego wyrazu uznania dla swojej pracy. Wykazał mi na podstawie danych o sprzedaży, że sam dokonał więcej transakcji niż kilku innych kolegów razem wziętych. Był przekonany, że kierownik działu ma coś przeciw niemu, że go niesprawiedliwie traktuje, ba, że z zasady odrzuca jego inicjatywy i co najwyżej wykpiwa je na zebraniach.

Wyjaśniłem mu, że główny ciężar winy spoczywa z pewnością na nim samym, a zachowanie kierownika jest jedynie podświadomą reakcją na negatywną postawę pracownika. *„Taką miarą, jaką wy mierzycie, i wam odmierzą".* W ocenie – czy też według „miary" – mojego gościa kierownik działu sprzedaży był człowiekiem ograniczonym i kłótliwym, co wprawiało podwładnego w rozgoryczenie i niechęć. Już w drodze do pracy nasz handlowiec zwykł prowadzić gwałtowny monolog wewnętrzny, w którym dawał upust zarzutom i oskarżeniom wobec kierownika.

Postawa ta działała jak sprzężenie zwrotne; na jej katastrofalne skutki nie trzeba było długo czekać. Przedstawiciel handlowy nie zdawał sobie sprawy z tego, że jego wewnętrzny monolog i dochodząca w nim do głosu nienawiść wryły mu się w podświadomość, rodząc nie tylko wrogość wobec zwierzchnika, ale również szereg psychicznych i fizycznych zaburzeń w nim samym.

Handlowiec przyjął nawyk codziennego odmawiania następującej modlitwy: „To ja myślami tworzę sobie świat. Ja jeden decyduję i odpowiadam za to, co myślę o moim zwierzchniku. Nie mogę robić kierownikowi zarzutu z mojego sposobu myślenia. Niniejszym stwierdzam, że żaden człowiek, żadne miejsce, żadna rzecz i żadna sytuacja nie ma prawa ani możliwości mnie urazić. Życzę mojemu przełożonemu zdrowia, pomyślności, spokoju i powodzenia. Ze szczerego serca życzę mu wszystkiego dobrego i wiem, że każdym jego krokiem kieruje Bóg."

Poradziłem mu, żeby wyobraził sobie swój umysł jako ogród, gdzie każde ziarno wydaje odpowiedni owoc, i zaleciłem, żeby przed snem wyobrażał sobie jak gdyby film, w którym kierownik działu serdecznie gratuluje mu znakomitych osiągnięć, zaangażowania w pracy i świetnej współpracy z klientami. Handlowiec wczuł się mocno w tę scenę; zdawało mu się, że czuje uścisk dłoni, słyszy głos rozmówcy i widzi jego uśmiech. Co wieczór wyświetlał w umyśle ten film, wiedział bowiem, że podświadomość utrwali to zdarzenie niczym klisza fotograficzna.

Dzięki rozgrywającemu się w podświadomości procesowi, który można by nazwać psychiczno-umysłową osmozą, nastąpił oczekiwany skutek, a wyobrażenie stało się rzeczywistością. Oto pewnego dnia kierownik działu sprzedaży wezwał go do siebie do San Francisco. Wyraził mu uznanie, awansując go jednocześnie na kierownika działu i znacznie podwyższając mu pensję. Zmiana wewnętrznej postawy wobec szefa zmieniła również nastawienie tego ostatniego.

Droga do dojrzałości emocjonalnej

Cudze słowa albo działania nie są władne urazić cię ani zdenerwować – chyba że im tę władzę przyznasz. Za każdą negatywną reakcję odpowiadasz bowiem jedynie ty i twój sposób myślenia. Ktoś, kto się złości, musi przejść następujące stadia myślenia: zastanawiamy się nad tym, co usłyszeliśmy. Widzimy powód do złości i sami wpadamy we wściekłość. Wściekłość pcha nas do działania i postanawiamy odpłacić przeciwnikowi. Wszystkie te procesy jednak – początkowa myśl, pobudzenie emocji, reakcja na to i decyzja kontrataku – biorą początek wyłącznie w twoim umyśle.

Człowiek dojrzały emocjonalnie nigdy nie reaguje negatywnie na krytykę czy agresję ze strony bliźnich. Jeśli ktoś bowiem daje się ponieść i odpłaca tą samą monetą, zniża się automatycznie do psychiczno-umysłowego poziomu swojego podrzędnego przeciwnika. Nigdy nie trać z oczu własnego celu życiowego. Nie pozwól, żeby ktokolwiek, jakakolwiek sytuacja odebrała ci wewnętrzny spokój, równowagę ducha i zdrowie.

Znaczenie miłości dla harmonijnych stosunków międzyludzkich

Słynny austriacki twórca psychoanalizy Sigmund Freud powiedział, że osobowość człowieka marnieje i obumiera bez miłości. W miłości potrzebna jest wyrozumiałość, otwartość i szacunek dla boskiego pierwiastka, który tkwi w każdym człowieku. Im bardziej promieniejemy miłością i dobrą wolą, tym bardziej spływa ona na nas ze wszystkich stron.

Ktoś, kto rani poczucie wartości drugiego człowieka, nie zyska w nim nigdy przyjaciela. Nie zapominaj, że każdy człowiek pragnie, aby go kochano i szanowano. Pamiętaj, że twój rozmówca tak samo jak ty jest świadom własnej wartości i godności. Ktoś, kto patrzy na bliźnich pod tym kątem, w nagrodę zazna miłości i dobrej woli.

Nienawidził publiczności

Pewien aktor opowiadał mi kiedyś, że na jego pierwszym przedstawieniu publiczność go wygwizdała. Dodał, że sztuka była słaba, a i on nie zabłysnął. Przyznał mi się otwarcie, że na wiele miesięcy znienawidził publiczność – wydała mu się zbieraniną głupców, ignorantów i mędrków. Pełen odrazy porzucił działalność aktorską i przez rok pracował jako sprzedawca w drogerii.

Pewnego dnia przyjaciel zaproponował mu pójście do hali miejskiej w Nowym Jorku na wykład: „Jak się pogodzić z samym sobą". To, co tam usłyszał, nadało jego życiu nowy kierunek. Powrócił na scenę i zaczął szczerze modlić się za siebie i za widzów. Co wieczór przed występem myślał o publiczności z miłością i dobrą wolą. Jego aura działała na widzów, dzięki czemu potrafił ich urzec. Dziś jest wielkim aktorem, który lubi i szanuje ludzi. Jego pozytywna postawa udzieliła się innym ludziom i ją odwzajemniają.

Jak traktować trudnych ludzi

Na świecie jest, niestety, wielu trudnych ludzi. Nieużytość, nieżyczliwość, a nawet kłótliwość i zgorzknienie wobec ludzi i świata to tylko oznaki chorej duszy. Tego rodzaju szkody psychiczne wywodzą się częstokroć z dzieciństwa, bywają też wrodzone albo dziedziczne. Nikt rozsądny nie robiłby komuś zarzutu z tego, że cierpi na gruźlicę. Równie niestosowne jest potępianie człowieka umysłowo albo psychicznie chorego. Nikt nie żywi pogardy ani nienawiści do kaleki – a ludzi psychicznie kalekich jest wielu. Trzeba im okazywać współczucie i zrozumienie. **Rozumieć wszystko to wszystko wybaczać.**

Nieszczęścia chodzą parami

Człowiek owładnięty nienawiścią, zazdrością albo innymi negatywnymi uczuciami jest chory na umyśle i duszy. Harmonia wszechświata budzi w nim sprzeciw. To właśnie ludzie spokojni, szczęśliwi i pogodni budzą w nim dezaprobatę. Zazwyczaj krytykuje on i oczernia właśnie tych, którym coś zawdzięcza. Dlaczego – powiada taki nieszczęśnik – inni mają być szczęśliwi, skoro ja mam się źle? Najchętniej wszystkich upodobniłby do siebie. Nieszczęścia chodzą parami. Kiedy to weźmiesz pod uwagę, łatwo ci będzie uniknąć takiej postawy i zachować spokój w razie, gdyby spotkał cię tego rodzaju atak.

Zdolność wczuwania się i jej znaczenie w stosunkach międzyludzkich

Odwiedziła mnie niedawno młoda kobieta, która przyznała się, że kiedyś wręcz znienawidziła swoją koleżankę. „Nie tylko dlatego, że była ładniejsza, bogatsza i szczęśliwsza – ale na domiar złego została żoną szefa. Jednak pewnego dnia – ciągnęła – jej rywalkę odwiedziła w biurze córeczka z pierwszego małżeństwa. Dziecko było kalekie. Dziewczynka objęła matkę za szyję i powiedziała: «Mamusiu, mamusiu, ja kocham nowego tatusia! Zobacz, co mi dał!» Rozpromieniona pokazała matce piękną nową zabawkę.

„Nagle ta mała dziewczynka o rozpromienionych oczach przypadła mi do serca – ciągnęła młoda osoba. Wczułam się w sytuację tamtej kobiety i zrozumiałam, jakie to dla niej szczęście. Ciepło mi się zrobiło na sercu; poszłam do niej i powiedziałam jej ze szczerą sympatią, że życzę jej wszystkiego dobrego."

To, co wyjawiła mi ta młoda osoba, psychologowie nazywają „empatią", czyli zdolnością wczuwania się; jest to po prostu umiejętność postawienia się na czyimś miejscu. Młoda kobieta spróbowała zobaczyć sytuację oczyma danej osoby. Dzięki temu zdołała utożsamić się z myśleniem i odczuwaniem nie tylko tamtej kobiety, ale i dziecka. Idąc za głosem miłości, zrozumiała wszystko.

Kiedy nachodzi cię pokusa, żeby o kimś źle pomyśleć albo urazić go słowem lub czynem, przemyśl swoje zachowanie w duchu dziesięciorga przykazań. Jeśli ktoś ma skłonność do zazdrości albo gniewu, powinien spojrzeć na siebie w duchu ewangelicznym – a wtedy otworzy się na głęboką prawdę słów: *„Miłujcie się wzajem"*.

Uległość nie popłaca

Z drugiej strony nie pozwalaj nikomu, aby cię wykorzystywał lub narzucał swoją wolę wybuchem gniewu, spazmami czy udawanym atakiem serca. Tego rodzaju ludzie to tyrani; próbują zrobić z ciebie niewolnika swoich humorów. Uprzejmie, ale stanowczo im odmawiaj. Uległość nie popłaca. Nie daj się wrobić w popieranie samolubstwa, zaborczości i nieopanowania takich ludzi. Rób zawsze to, co słuszne. Przyszedłeś na świat po to, żeby realizować swoje największe zdolności i aby dochować wierności wiecznym prawdom i wartościom duchowym. Nie pozwól nikomu odwieść cię od celu, który polega na rozwijaniu twoich ukrytych talentów, służeniu ludziom i codziennym świadczeniu o Bogu. Dochowaj wiary swoim ideałom. Miej zawsze na uwadze prawdę o tym, że cokolwiek służy twojemu spokojowi, szczęściu i samourzeczywistnieniu, siłą rzeczy przyczyni się do pomyślności wszystkich ludzi. Harmonia części jest harmonią całości – całość jest bowiem obecna w części, a część w całości. *„Nikomu nie bądźcie nic dłużni poza wzajemną miłością"*, powiada św. Paweł (Rz 13,8). Miłość realizuje prawo zdrowia, pomyślności i wewnętrznego spokoju.

STRESZCZENIE

1. Twoja podświadomość przypomina narzędzie, które wiernie zapisuje i utrwala twoje codzienne myśli. Myśląc dobrze o bliźnim, będziesz tym samym dobrze myślał o sobie.

2. Myśl pełna nienawiści albo zazdrości to trucizna dla umysłu. Nie myśl o innych źle, bo będziesz myśleć źle o sobie. To ty stwarzasz sobie świat myślami, rozwijającymi twórczą moc.

3. Twój umysł jest twórczym medium. To, co myślisz o innych i co do nich czujesz, urzeczywistni się w twoim życiu. Oto psychologiczny sens ewangelicznej złotej zasady: „*Wszystko, co byście chcieli, żeby wam ludzie czynili, i wy im czyńcie*" (Mt 7,12). Myśl o bliźnim tak, jak chciałbyś, żeby on myślał o tobie.

4. Oszukiwanie albo okradanie bliźnich przynosi winowajcy tylko nieszczęścia i straty. Podświadomość bowiem wiernie zapisuje wszystkie myśli, uczucia i motywy działań. Jeśli motywy są negatywne, wywołują odpowiednio negatywny skutek. Nie sposób podważyć prawdy, że to, co czynisz bliźniemu, czynisz sobie.

5. Każdy dowód twojej dobrej woli, każda uprzejmość i przysługa będą po stokroć wynagrodzone.

6. To ty myślami stwarzasz sobie świat. Ty jeden decydujesz i odpowiadasz za to, co myślisz o innych ludziach. Pamiętaj, że odpowiedzialnością za własny sposób myślenia nie zdołasz obarczyć innych. Twoje myśli i uczucia odbiją się na tobie. Co zatem myślisz o bliźnich?

7. Bądź dojrzały także w reakcjach uczuciowych. Przyznawaj innym prawo do własnych poglądów, odmiennych niż twoje. To samo prawo przyznaj też sobie. Można przecież

bronić własnego zdania nie popadając w nieuprzejmość czy grubiaństwo.

8. Zwierzęta wyczuwają niechęć, na którą reagują przekorą lub agresją. Jeśli ktoś odnosi się do zwierząt z miłością, nie napadną go nigdy. Taki sam szósty zmysł rozpoznawania aury emocjonalnej mają niektórzy ludzie.

9. Twoje wyobrażenia o innych i rozmowy, jakie z nimi w duchu prowadzisz, wywołują odpowiednie reakcje u danych osób.

10. Życz bliźnim tego samego, czego życzysz sobie. Oto klucz do harmonii w stosunkach międzyludzkich.

11. Zmień stosunek do szefa. Pomyśl i poczuj, że żyje on według ewangelicznej złotej zasady i że podlega prawu miłości. Korzystna reakcja nie każe długo na siebie czekać.

12. Ludzkie słowa i czyny mogą urazić cię tylko wtedy, kiedy przyznasz im taką moc. Twoje myślenie ma twórczą moc – więc pobłogosław drugiemu. Komuś, kto ci ubliża, możesz zawsze powiedzeć: „Pokój z tobą”.

13. Duch miłości rozwiązuje wszystkie problemy w stosunkach międzyludzkich. Miłość to nic innego jak bezkonfliktowość, dobra wola i szacunek dla boskiego pierwiastka w drugim człowieku.

14. Garbus albo kaleka nigdy nie wywołałby w tobie nienawiści, lecz tylko współczucie. Okazuj takie samo współczucie ludziom kalekim duchowo i skrzywionym psychicznie. Wszystko rozumieć to wszystko przebaczać.

15. Ciesz się z sukcesu, zysku, awansu innych. Taka postawa otworzy szczęście przed tobą.

16. Nie pozwól, żeby na twoje decyzje wpłynęły czyjeś krokodyle łzy albo scena, którą ci ktoś zrobił. Uległość nie popłaca. Nie rób z siebie cudzego podnóżka. Nie daj się sprowadzić z dobrej drogi. Trzymaj się swoich ideałów, bo tylko pozytywna wizja świata gwarantuje spokój, szczęście i radość. Coś, co dla ciebie jest dobrodziejstwem, uszczęśliwi też wszystkich innych ludzi.

17. Miłość to wszystko, co jesteś winien bliźniemu. Kochać zaś znaczy życzyć każdemu tego, o czym marzysz dla siebie: zdrowia, pomyślności i dobrodziejstw życia.

Rozdział 17

Jak dzięki podświadomości dostąpić przebaczenia

Życie nikogo nie wyróżnia. To Bóg jest życiem, zasadą, która przenika zawsze i wszędzie każdego człowieka. Bóg powołał człowieka do harmonii, spokoju, piękna, radości i bogactwa. To właśnie nazywamy wolą Boga albo nakazem życia.

Kiedy ktoś stawia zaporę swobodnym nurtom życia, powoduje zaburzenia podświadomości i naraża się na nieszczęścia. To nie Bóg jest sprawcą cierpień i zamętu na świecie. Wszystkie swoje niedole człowiek powinien przypisać własnemu destruktywnemu myśleniu. Dlatego obarczanie Boga odpowiedzialnością za choroby albo nieszczęścia jest całkowitą pomyłką.

A jednak wielu ludzi zrzuca na Stwórcę autorstwo, a już co najmniej odpowiedzialność za wszystkie ludzkie grzechy, choroby i cierpienia, za spadające na nich ciosy i nieszczęścia.

Negatywne pojęcie Boga mści się odpowiednią, negatywną reakcją podświadomości. Niestety, osoby, które tak myślą, nie wiedzą, że same sobie wymierzają karę. Aby prowadzić zdrowe, szczęśliwe i twórcze życie, trzeba najpierw poznać prawdę, osiągnąć pełnię wolności oraz powstrzymywać się od jakichkolwiek uprzedzeń, zgorzknienia i gniewu. Kiedy myśli i uczucia owładnie wyobrażenie Boga miłującego, kiedy człowiek ujrzy w Bogu Ojca, który nad nim czuwa, który go prowadzi, podtrzymuje przy życiu i umacnia, wtedy taka wizja Boga wryje mu się w podświadomość, stając się źródłem samych dobrodziejstw.

Życie zawsze wybacza

Życie wybaczy ci, kiedy zatniesz się w palec; rozpocznie sterowany przez podświadomość proces gojenia: powstaną nowe komórki, które zasklepią ranę. Kiedy ktoś spożyje nieświeży posiłek, organizm zwróci to, co niestrawne. Kiedy sparzymy się w rękę, zniszczone tkanki zastąpi nowa skóra. Życie nie jest pamiętliwe, lecz wyrozumiałe, zawsze gotowe wybaczyć. Dobrodziejstwem życia jest zdrowie, witalność, równowaga i spokój – pod warunkiem, że człowiek żyje w zgodzie z naturą.

Jak uwolnił się od poczucia winy

Znałem pewnego pana, który z niestrudzoną gorliwością pracował codziennie aż do świtu. Był zbyt zapracowany, żeby jeszcze interesować się sprawami żony i dwu synów. Kiedy go poznałem, miał ciśnienie ponad 200. Było dla mnie oczywiste, że doskwiera mu silne poczucie winy i że nieświadomie wymierza sobie karę w postaci ciężkiej pracy i rezygnacji z życia rodzinnego. Normalny mąż by tak nie postępował; pozwoliłby żonie uczestniczyć w swoim życiu i dbałby o rozwój synów.

Wyjaśniłem mu powód jego nadludzkiej pracowitości: „Coś pana gryzie. Chce się pan za coś ukarać, a trzeba umieć sobie wybaczyć.” Okazało się, że istotnie, żywił silne poczucie winy wobec jednego z braci.

Tłumaczyłem mu, że to nie Bóg go karze, ale że to on sam siebie zadręcza. „Każde wykroczenie przeciw prawom życia pociąga za sobą odpowiednią karę", powiedziałem. „Jeśli ktoś dotknie gorącego przedmiotu, sparzy się. Moce natury są całkowicie neutralne – jedynie użytek, jaki czyni z nich człowiek, przesądza, czy niosą dobro, czy zło. Ogień nie jest ani dobry, ani zły – można nim albo ogrzać, albo spalić dom. Jedynym grzechem jest nieznajomość praw życia, a jedyna kara polega na automatycznej negatywnej reakcji, jaka musi nastąpić wskutek nieprzestrzegania tych praw. Ktoś, kto naruszy prawa chemii, może spowodować katastrofalną eksplozję. Ktoś, kto uderzy o skałę, zrani się. Obie te sytuacje stanowią konsekwencję zlekceważenia pewnych ogólnych zależności."

Moje wyjaśnienia otwarły mu oczy. Zrozumiał, że jego harówka i związane z nią dolegliwości nie są karą boską, ale stanowią reakcję podświadomości na jego własny destruktywny sposób myślenia. A co było przyczyną? Mimo że minęło wiele lat, nie mógł sobie darować, że kiedyś oszukał nieżyjącego już brata.

Spytałem: „A czy dzisiaj też by go pan oszukał?"

„Nie".

„Czy wtedy uważał pan, że ma pan powody, by tak zrobić?"

„Tak".

„A czy dzisiaj postąpiłby pan tak samo?"

Potrząsnął głową i powiedział: „Bynajmniej. Dzisiaj codziennie staram się pomagać innym, żeby radzili sobie w życiu".

„Bo teraz ma pan więcej doświadczenia i rozeznania. Żeby dostąpić przebaczenia, trzeba najpierw przebaczyć samemu sobie. Przebaczenie to po prostu włączenie się w Bożą harmonię. «Piekłem», piekłem na ziemi, jest potępianie samego siebie. «Niebem» jest harmonia, spokój, przebaczająca dobroć."

Pod wpływem takiej zmiany spojrzenia zdołał całkowicie uwolnić się od poczucia winy i wyrzutów sumienia. Przy późniejszym badaniu lekarskim okazało się, że ciśnienie ma w normie: ozdrowienie psychiczne przywróciło zdrowie ciału.

Zabójca wybaczył sobie

Wiele lat temu przyszedł do mnie mężczyzna, który zabił swojego brata. Żył w ciągłym przeraźliwym strachu przed karą boską. Jak mi wyjaśnił, przyłapał kiedyś brata ze swoją żoną i zastrzelił go w ślepym gniewie. To morderstwo w afekcie popełnił w Europie przed piętnastu laty. Tymczasem w Ameryce ożenił się i doczekał trójki dzieci. Całkowicie się zmienił; korzystał ze swojej wpływowej pozycji, żeby świadczyć dobro jak największej liczbie ludzi.

Wytłumaczyłem mojemu rozmówcy, że ani psychicznie, ani fizycznie nie jest tamtym człowiekiem, który zastrzelił brata. Nauka dowiodła, że w ciągu kilku lat wszystkie komórki naszego ciała obumierają i zostają zastąpione nowymi. Dodałem, że niezależnie od tego, pod względem umysłowym i psychicznym też jest zupełnie nowym człowiekiem, czego dowodzi jego życzliwość i uczynność względem bliźnich. Człowiek zaś, który piętnaście lat temu popełnił morderstwo, umarł psychicznie i umysłowo. Jeśli mimo swojej całkowitej przemiany dziś jeszcze robi sobie wyrzuty, obwinia kogoś zupełnie postronnego.

Argumenty poskutkowały; udało mi się zdjąć ciężar z jego duszy. Odsłoniło się przed nim prawdziwe znaczenie biblijnych słów: *„Chodźcie i spór ze mną wiedźcie" – mówi Pan. „Choćby wasze grzechy były jak szkarłat, jak śnieg wybieleją; choćby czerwone jak purpura, staną się jak wełna"* (Iz 1,18).

Jeśli zechcesz, skorzystasz na każdej krytyce

Pewna nauczycielka prosiła mnie o radę. Koleżanka skrytykowała jej wykład twierdząc, że mówi szybko, niewyraźnie, cicho i monotonnie, przez co ginie znaczenie słów. W rozmowie z moją pacjentką widziałem, jak bardzo ją uraziły te zarzuty. Chętnie jednak przyznała, że w gruncie rzeczy były słuszne. W świetle tego własna reakcja wydała jej się dziecinna, krytykę ze strony koleżanki uznała natomiast za bodziec do pracy nad sobą. Natychmiast zaczęła doskonalić sposób mówienia, chodząc na kurs retoryki. Napisała do koleżanki list, dziękując za zainteresowanie i konstruktywną krytykę, która wskazała jej, jak pozbyć się uciążliwych błędów.

Jak okazać wyrozumiałość

Załóżmy, że wykład naszej nauczycielki skrytykowano całkowicie niesłusznie. Byłaby to jawna krytyka treści, a nie formy wykładu. Robią tak zazwyczaj ludzie umysłowo i psychicznie niezrównoważeni; do nierzeczowej krytyki skłaniają ich własne intelektualne bariery i uprzedzenia. Nie ma więc powodu do urazy.

W takich wypadkach należy okazywać wyrozumiałość. Następnym logicznym krokiem jest modlitwa o spokój umysłu i właściwe rozeznanie dla tamtego człowieka. Jeśli ktoś uzna siebie panem własnych uczuć i myśli, nikt nie zdoła go urazić. Twoje uczucia odpowiadają myślom. Dzięki temu, myśląc, jesteś w stanie przegonić z umysłu wszystko, co mogłoby zakłócić twoją wewnętrzną równowagę.

Porzucona przed ołtarzem

Parę lat temu ktoś zaprosił mnie na ślub. Narzeczony nie pojawiał się jednak. Po dwóch godzinach daremnego czekania narzeczona otarła łzy rozczarowania i powiedziała do mnie: „Prosiłam Boga, żeby pokierował wszystkim wedle swojej woli. To na pewno odpowiedź na moją modlitwę. Bóg nie opuszcza nas nigdy."

Taka była więc jej reakcja – posłuszeństwo i zaufanie wobec Bożego zrządzenia. W jej sercu nie pozostał żaden ślad zgorzknienia, czego dowodem słowa: „Widocznie ślub nie wyszedłby nam na dobre – bo przecież prosiłam Boga, żeby ukazał nam właściwą drogę".

Ileż młodych kobiet w podobnej sytuacji przeżyłoby

załamanie nerwowe; nie obeszłoby się bez środków uspokajających albo pomocy lekarskiej.

Słuchaj ukrytej w tobie bezgranicznej mądrości, darząc jej rady takim zaufaniem, z jakim dziecko przyjmuje słowa matki. W ten sposób osiągniesz wewnętrzną równowagę, która zapewni ci zdrowie psychiczne i umysłowe.

„Małżeństwo to rzecz niestosowna. Sprawy płci są złem, a ja sama jestem zepsuta!"

Jakiś czas temu rozmawiałem z 22-letnią osobą, której wpojono przeświadczenie, że tańce, gra w karty, pływanie i przebywanie w towarzystwie mężczyzn jest grzechem. Dziewczyna nosiła czarną sukienkę i takie same pończochy. Nigdy dotychczas nie używała szminki, pudru, nie robiła makijażu, wszystko to bowiem jej matka uważała za grzeszne. Od matki pochodził też pogląd, że wszyscy mężczyźni to niegodziwcy, sprawy płci są domeną diabła, a miłość rzeczą nieobyczajną.

Dziewczyna, dręczona poczuciem winy, musiała najpierw zaakceptować samą siebie. Prawdy o życiu i całkiem nowa samoocena powoli zajmowały miejsce tamtych błędnych przeświadczeń. Ilekroć wychodziła dokądś z kolegami, ogarniało ją głębokie poczucie winy i lęk przed karą Bożą. Oświadczało się jej kilku miłych i porządnych młodych ludzi, ale powiedziała mi: „Małżeństwo to rzecz niestosowna. Sprawy płci są złem, a ja sama jestem zepsuta!"

Przez dwa i pół miesiąca przychodziła co tydzień, a ja tłumaczyłem jej istotę i działanie podświadomości. Stopniowo uświadamiała sobie, że przesądna i nieoświecona matka całkowicie zwiodła ją na manowce. Dziewczyna rozpoczęła nowe życie z dala od rodziny.

Idąc za moją radą zmieniła fryzurę i sposób ubierania się. Brała lekcje tańca, zdobyła prawo jazdy. Ponadto nauczyła się pływać i grać w karty oraz zaczęła utrzymywać kontakty towarzyskie z rówieśnikami. Pokochała życie. Modliła się też, żeby Bóg zesłał jej towarzysza życia, głęboko przekonana, że nieskończona mądrość ześle jej odpowiedniego mężczyznę. Jej modlitwa spełniła się dosłownie na moich oczach. Pewnego wieczora właśnie się ze mną żegnała, kiedy do gabinetu wszedł mój znajomy; przedstawiłem ich sobie. Dziś są parą, szczęśliwą pod każdym względem.

Bez przebaczenia nie ma wyzdrowienia

Przebaczyć innym to nieodzowny warunek własnego zdrowia duchowego i fizycznego. Jeśli ktoś chce być szczęśliwy i zdrowy, musi najpierw przebaczyć każdemu, kto kiedykolwiek wyrządził mu krzywdę.

„A kiedy stajecie do modlitwy, przebaczcie, jeśli macie co przeciw komu..." (Mk 11,25).

Bądź wyrozumiały również i dla własnych wad i słabości, stosując się w myśleniu do Bożego ładu. Nie sposób przebaczyć sobie, jeśli przedtem nie przebaczyło się innym. Ktoś, kto nie chce sobie wybaczyć, dowodzi tylko własnej pychy albo niewiedzy.

Szkoła psychosomatyczna w medycynie współczesnej podkreśla z naciskiem, że cały szereg chorób – od artretyzmu po różne dolegliwości sercowe – powodowanych jest niezadowoleniem z siebie, wyrzutami sumienia i wrogością. Przedstawiciele tej koncepcji twierdzą, że cierpiący na wspomniane choroby pacjenci z zacietrzewieniem i nienawiścią wspominali ludzi, którzy ich ranili, torturowali, oszukiwali czy w inny sposób krzywdzili. Jest na to tylko jeden sposób: wszelką nienawiść i zawziętość należy wykorzenić przez szczere przebaczenie.

Przebaczenie jest czynną miłością

Do wybaczenia trzeba dobrej woli. Jeśli ktoś szczerze pragnie przebaczyć drugiemu, jest już na dobrej drodze. Nie muszę chyba podkreślać, że przebaczenie niekoniecznie oznacza sympatię i przyjacielskie współczucie. Nikogo nie można zmuszać, żeby pałał do kogoś uczuciem – tak samo, jak żaden rząd nie jest w stanie ustawowo wymusić miłości, zrozumienia i tolerancji. Z drugiej jednak strony jesteśmy w stanie okazywać miłość nawet ludziom, którzy nie budzą w nas sympatii.

Biblia powiada: *„Miłujcie się wzajemnie"*; potrafi tak każdy, kto ma po temu szczerą wolę. Miłość to przecież nic innego, jak pragnienie, by drugiego człowieka spotkały wszelkie dobrodziejstwa życia. Jest tylko jeden konieczny warunek: szczerość. Ktoś, kto wybacza innym ludziom, nie dowodzi wielkoduszności, lecz raczej działa we własnym interesie: pragnąc czegoś dla innych, pragniemy tego także dla siebie. To ty myślisz i odczuwasz. A jak myślimy i odczuwamy, tacy jesteśmy. Cóż bardziej oczywistego?

Technika przebaczania

Ktoś, kto zastosuje poniższy prosty sposób, przeżyje wkrótce cud. Uspokój myśli, odpręż ciało i umysł. Pomyśl o Bogu i Jego miłości do wszystkich ludzi. Następnie z całą szczerością powiedz: „Całkowicie przebaczam... (tu wypowiedz nazwisko danej osoby). Wyzbyłem się wszelkiej zawziętości. Bez żadnych warunków przebaczam wszystko, co mnie wtedy spotkało. Wyzwoliłem się i on (oni) też. To wspaniałe uczucie! Dzisiaj jest dzień «amnestii powszechnej». Życzę im oraz wszystkim ludziom zdrowia, pomyślności, spokoju i wszystkich dobrodziejstw życia. Robię tak z własnej i nieprzymuszonej woli, z radością i miłością, i kiedy tylko przyjdzie mi na myśl ktoś, kto mnie skrzywdził, powiem: uwalniam cię od wszelkiej winy, wszystkie dobrodziejstwa życia niech będą z tobą! Ja i ty jesteśmy wolni. Obyśmy wszyscy żyli w szczęściu i radości!"

Tajemnica prawdziwego przebaczenia polega na tym, że wystarczy jeden akt odpuszczenia. Ilekroć komuś przypomni się znowu niegdysiejszy winowajca albo krzywda, jakiej się dopuścił, wystarczy powiedzieć: „Pokój tobie!" Rób tak zawsze, kiedy znowu zbierze ci się na wspomnienia. Po paru dniach stwierdzisz, że twoje myśli coraz rzadziej krążą wokół tamtej osoby albo wydarzenia – aż wreszcie całkiem pójdą w niepamięć.

Probierz prawdziwego przebaczenia

Szczerość przebaczenia może potwierdzić nieomylny probierz. Załóżmy, że opowiem ci, jakie szczęśliwe wydarzenie przytrafiło się człowiekowi, który kiedyś cię skrzywdził. Jeśli taka wiadomość wzbudzi w tobie gniew i niechęć, będzie to niezbity dowód, że w twojej podświadomości nadal tli się i sieje spustoszenie nienawiść. Załóżmy z drugiej strony, że rok temu miałeś bolesny ropień, a dziś zapytam cię mimochodem, czy jeszcze boli. Odpowiesz odruchowo: „Ależ nie. Pamiętam ten ropień, ale już dawno się zagoił i przestał boleć."

W tym tkwi sedno – być może zapamiętałeś zadane ci cierpienie, ale już cię to nie boli. Oto twój probierz – stosuj go. Umysł i psychika powinny zareagować w opisany wyżej sposób – w przeciwnym razie znaczyłoby to, że nie przebaczyłeś naprawdę.

Wszystko rozumieć to wszystko wybaczać

Kto zrozumie dynamiczno-twórczą zasadę umysłu, nie pozwoli innym ludziom albo zewnętrznym okolicznościom wpływać na swoje życie. Wie on, że o jego życiu stanowią wyłącznie jego myśli i uczucia; że czynniki zewnętrzne nigdy nie są prawdziwą przyczyną jego losu. Przekonanie, że inni mogą zburzyć nasze szczęście, że jesteśmy zabawką okrutnej fortuny, że bliźni tylko czyhają, by nam się nie udało, więc trzeba z nimi walczyć – te i podobne błędne poglądy okazują się niesłuszne z chwilą, gdy potraktuje się myśl jako obiektywną rzeczywistość. To samo powiada Biblia: *„Albowiem taki jest człowiek, jakie myśli w jego sercu".*

STRESZCZENIE

1. Bóg – czyli życie – nie ma względu na osobę. Życie nikogo nie wyróżnia. Życie – czyli Bóg – sprzyja twoim planom i zamiarom wtedy, kiedy osiągniesz zgodność z zasadą harmonii, jedności, zdrowia i radości.

2. Bóg – czyli życie – nie sprowadza na nas chorób ani nieszczęść. Wszelkie niedole powinniśmy przypisywać sobie, naszemu negatywnemu i destrukcyjnemu myśleniu, zgodnie z zasadą: *„Kto sieje wiatr, ten zbiera burzę"*.

3. Podstawą twojego życia jest wizja Boga. Jeśli wierzysz w Boga miłującego, twoja podświadomość odpowiednio zareaguje i obdarzy cię mnóstwem dobrodziejstw. Uwierz w miłującego Boga!

4. Życie – czyli Bóg – nie chowa do ciebie urazy. Życie nikogo nie potępia; leczy ciężkie obrażenia ciała; wybaczy ci, kiedy sparzysz się w rękę; tworzy nowe komórki i tkanki. Życie leczy wszystko.

5. Kompleks winy należy tłumaczyć błędną wizją Boga i życia. Bóg – czyli życie – nikogo nie potępia ani nie karze. Poczucie winy to przede wszystkim skutek błędnych przeświadczeń: myślenia negatywnego, które prowadzi do potępienia samego siebie.

6. Bóg – czyli życie – nie potępia ani nie karze człowieka. Siły natury są całkowicie neutralne. Ich pomyślne albo niszczycielskie działanie zależy wyłącznie od tego, w jakim duchu je wykorzystasz. Ogniem można ogrzać albo spalić dom. Dziecko może ugasić wodą pragnienie i może w niej utonąć. Dobro i zło są bezpośrednim skutkiem ludzkich myśli i zamierzeń.

7. Bóg – czyli życie – nie zna zemsty. Człowiek sam sobie wymierza karę przez błędne wyobrażenia o Bogu, życiu i wszechświecie. Umysł ma twórczą moc; to w nim człowiek stwarza swoje szczęście albo nędzę.

8. Kiedy ktoś słusznie cię skrytykuje, podziękuj mu za wskazówki, które ułatwią ci pracę nad sobą.

9. Jeśli ktoś wie, że jest panem swoich myśli i uczuć, nie urazi go niesłuszna krytyka. Najlepiej życz danej osobie wszystkiego dobrego. Tobie także wyjdzie to na dobre.

10. Powierzając siebie i swoje życie Bogu, przyjmuj wszystko, co nastąpi. Bądź przekonany, że koniec końców tak będzie dla ciebie najlepiej. Ktoś, kto widzi rzeczy w ten sposób, nie skrytykuje innych bezpodstawnie, nie będzie się nad sobą użalać ani nie popadnie w zgorzknienie.

11. Nic samo w sobie nie jest dobre ani złe – czyni je takim dopiero myślenie. Sprawy płci same w sobie są złem równie mało jak pragnienie pokarmu, bogactwa albo prawdziwej samorealizacji. Ważne jest zawsze, co jednostka robi ze swoich instynktów, pragnień i dążeń.

12. Wiele chorób spowodowanych jest zazdrością, nienawiścią, złą wolą, żądzą zemsty i niechęcią. Bądź wyrozumiały: wybaczaj sobie i innym, myśląc z miłością, radością i życzliwością o tych, którzy zadawali ci cierpienia. Życz bliźnim spokoju, ilekroć najdzie cię wspomnienie o wyrządzonych ci przez nich krzywdach – a gorzkie wspomnienia wkrótce zblakną.

13. Wybaczyć to znaczy życzyć drugiemu człowiekowi miłości, spokoju, radości i wszystkich dobrodziejstw życia tak długo, aż twoja pamięć wyzbędzie się bólu. Oto probierz prawdziwego przebaczenia.

14. Załóżmy, że rok temu miałeś bolesny ropień na podbródku. Czy boli cię jeszcze? Nie. Sprawdź w ten sam sposób, czy nadal myślisz negatywnie o człowieku, który kiedyś skrzywdził cię albo obmówił. Jeśli żywisz do niego złość, znaczy to, że w twojej podświadomości gnieździ się jeszcze nienawiść i sieje w niej spustoszenie. Jest na to jeden sposób: tak długo życzyć danej osobie wszystkiego dobrego, aż to życzenie będzie całkiem szczere. To właśnie jest prawdziwe znaczenie przykazania: „*Przebaczcie aż 77 razy*”.

Rozdział 18

Jak podświadomość usuwa zahamowania umysłu

Każdy problem kryje w sobie rozwiązanie. Każde pytanie zawiera odpowiedź. Nie widząc wyjścia z trudnej sytuacji, najlepiej zrobisz powierzając rzecz podświadomości. Możesz być pewien, że w swojej mądrości umie ona i zechce ukazać ci właściwą drogę. Pozytywne nastawienie umysłu, jakim jest wiara, że twórcza inteligencja podświadomości rozwiąże twój problem, pozwoli ci znaleźć odpowiedź oraz działać mądrze i skutecznie.

Jak pozbyć się nawyku lub go nabrać

Człowiek żyje przyzwyczajeniem. Sterowanie funkcjami nawykowymi to jedno z głównych zadań podświadomości. Nauczyłeś się pływać, jeździć na rowerze, tańczyć i prowadzić samochód dzięki temu, że ćwiczyłeś tak długo, aż te umiejętności wryły ci się w podświadomość; odtąd wszystkim rządzą nabyte przez ćwiczenia odruchy. Zatem tak zwana „druga natura" człowieka to nawykowe, podświadome sterowanie pewnymi myślami albo działaniami. Każdy człowiek ma swobodę nabywania dobrych albo złych nawyków. Jeśli ktoś przez dłuższy czas wprawia się w negatywnych myślach lub działaniach, zacznie w końcu podlegać nakazom przyzwyczajenia. W ten właśnie sposób zadziała prawo podświadomości.

Jak pozbył się nałogu

Pan Jones powiedział mi: „Nieraz ogarnia mnie nieodparta chęć, żeby się napić, i wtedy przez dwa tygodnie nie trzeźwieję. Po prostu nie umiem nad tym zapanować."

Nieszczęśnik doświadczał tego stale. Alkoholowe wyskoki weszły mu w nawyk. Miał, co prawda, jak mi mówił, na tyle silną wolę, aby przez jakiś czas opierać się pokusie. Jednak stałe zmagania z pragnieniem alkoholu wpędzały go w coraz bardziej rozpaczliwą sytuację. Kilkakrotnie bez skutku próbował nad tym zapanować, ale w końcu dał za wygraną i poczuł się bezradny wobec nałogu. Stałe wyobrażenie bezsilności i beznadziei wpływało mocno na jego podświadomość, ze słabego człowieka robiąc nałogowca, którego spotykały same niepowodzenia.

Swego czasu rozpił się z własnej woli i z wolna zaczynał rozumieć, że skoro sam wpadł w nałóg, sam zdoła też z niego wyjść. Nauczyłem go, jak godzić funkcje świadomości i podświadomości – jest to warunkiem realizacji myśli i życzeń. Skoro wyrobił w sobie nawyk, który prowadził do nieszczęścia, mógł też wytworzyć nowe przyzwyczajenie, które przywiodłoby go do wstrzemięźliwości, wolności i wewnętrznego spokoju. Ponieważ zaś u źródeł jego pijaństwa leżała wolna decyzja, był w stanie dzięki tej samej wolności wprawić się w pozytywnych zachowaniach. Zaczął więc zwalczać myśl, że jest bezsilny wobec nałogu. Zdążył już uświadomić sobie, że przeszkodą w wyleczeniu jest jedynie jego sposób myślenia. Dlatego nie było powodu, żeby musiał narzucać cokolwiek swoim myślom.

Potęga wyobraźni

Mój pacjent zwykł więc całkowicie odprężać się fizycznie i umysłowo, wprawiając się w stan transu. Wyobrażał sobie, że odzwyczaił się od alkoholu, pozostawiając ufnie podświadomości sposób, w jaki ma to nastąpić. W duchu widział, jak córka gratuluje mu uwolnienia się od nałogu: „Jak dobrze, tato, że wróciłeś do domu!" Pijaństwo bowiem sprawiło, że żona i córka odeszły od niego. Orzeczeniem sądu zabroniono mu nawet widywać rodzinę. Ćwiczenia umysłu odbywał z idealną regularnością. Kiedy tylko groziło mu rozproszenie, przypominał sobie wzruszony głos i rozpromieniony uśmiech córki. Powolutku, krok po kroku, przestawiał myślenie na nowe tory. Niestrudzenie oddawał się temu zadaniu, mając pewność, że prędzej czy później wpoi podświadomości nowy model zachowania.

Porównałem jego świadomość do kamery, podświadomość zaś do światłoczułego filmu, który utrwala obrazy. Zrobiło to na nim duże wrażenie, i tym bardziej starał się o wyraziste wyobrażenia. Filmy wywołuje się w ciemności – podobnie i wizje w wyobraźni nabierają postaci w ciemni podświadomości.

Znaczenie koncentracji

Ten mężczyzna zrozumiał, na czym polega działanie jego podświadomości, dlatego zbędny stał się wysiłek umysłu. Spokojnie zebrawszy myśli, utożsamiał się z wymarzoną sceną w całej jej plastyczności. Ten film wyświetlał sobie stale, aż jego umysł i uczucia bez reszty przeniknęło wyobrażone zdarzenie. Nie miał już cienia wątpliwości, że się wyleczy. Ilekroć czuł, że zbliża się pokusa, odwracał myśli od złudnych radości alkoholu i wprawiał się w radosny nastrój, jaki budziła w nim myśl o rychłym powrocie na łono rodziny. Miał niezachwianą nadzieję, że jego wyobrażenia staną się rzeczywistością.

Wreszcie osiągnął sukces. Dziś jest prezesem ogromnego przedsiębiorstwa i jednym z najszczęśliwszych ludzi, jakich znam.

Nazywał siebie pechowcem

Prężny przedsiębiorca, pan Block, mówił mi, że niedawno osiągał 20 tysięcy rocznego dochodu, ale od trzech miesięcy prześladuje go pech; potrafi, co prawda, zainteresować nowych klientów, ale tuż przed złożeniem zamówienia wycofują się. Uznał, że jest zawodowym pechowcem.

Wniknąłem głębiej w sprawę i odkryłem, że właśnie przed dwoma miesiącami pan Block zaznał gorzkiego rozczarowania ze strony jednego z klientów – dentysty, który w ostatniej chwili wycofał się z przygotowanej już umowy. Odtąd żył w podświadomym strachu, że inni kontrahenci zachowają się tak samo. Wszędzie wietrzył niespodziewane przeszkody. Świadome i podświadome wyobrażenia skłaniały go do całkowicie pesymistycznej i nieprzychylnej postawy. „Spotkało mnie to, czego się najbardziej bałem", mawiał.

Pan Block uświadomił sobie, że przyczyna zła tkwi w sposobie myślenia i że musi go gruntownie zmienić. Swoją rzekomą pechową passę przerwał, oddając się regularnie następującemu rozważaniu: „Zrozumiałem, że stanowię jedność z nieskończenie mądrą podświadomością, która nie zna przeszkód ani barier. Żyję w radosnym oczekiwaniu dobra. Na moje myśli reaguje podświadomość. Wiem, że nic nie oprze się jej bezgranicznej mocy. Jej mądrość doprowadzi zaczęte dzieło do pomyślnego końca. Przeze mnie działa twórcza mądrość. Cokolwiek rozpocznę, kończę z powodzeniem. Celem mojego życia jest służyć wszystkim ludziom, a zwłaszcza działać dla dobra kontrahentów. Moja praca przynosi obfite owoce, zgodnie z wolą Bożą."

Modlitwę tę powtarzał co rano przed spotkaniem z klientami i kończył nią dzień. Po krótkim czasie zaczęło się dla niego pasmo sukcesów.

Jak bardzo pragniesz spełnienia marzeń?

Młody uczeń Sokratesa zapytał go kiedyś, jak zdobyć mądrość. Ten odpowiedział: „Chodź ze mną!" Zaprowadził młodzieńca nad rzekę i zanurzył go w wodzie. Chłopak walczył rozpaczliwie, by złapać oddech. Wreszcie Sokrates go puścił. Kiedy uczeń doszedł do siebie, Sokrates zapytał: – Czego najbardziej pragnąłeś, będąc pod wodą?

– Powietrza – odparł chłopiec.

Na to słynny filozof oznajmił: – Kiedy zapragniesz mądrości równie mocno, jak dusząc się pragnąłeś powietrza, posiądziesz ją.

Ktoś, kto zapragnie czegoś z całego serca, kto widzi wyraźną drogę do celu i gotów jest nią konsekwentnie podążać, na pewno zrealizuje swój zamiar.

Jeśli szczerze pragniesz spokoju, zaznasz go. Nawet najbardziej niesprawiedliwy szef i nielojalny przyjaciel nie zdołają wyprowadzić z równowagi kogoś, kto świadom jest swojej duchowej i psychicznej siły. Wiedząc, czego chcesz, potrafisz też zapobiec temu, aby nienawiść, złość i nieżyczliwość okradły cię ze spokoju, równowagi, zdrowia i pomyślności. Kiedy zdołasz skierować myśli na swój życiowy cel, tracą znaczenie ludzie, sytuacje i wydarzenia, przez co nie mogą cię już dotknąć ani zdenerwować. Głównym celem twojego życia jest znaleźć spokój, zdrowie, jasność umysłu, wewnętrzną równowagę i dobrobyt. Twoje myślenie, choć niematerialne i niewidzialne, stanowi jednak wielki potencjał dobra.

Dlaczego alkohol nie przynosi ulgi

Chciałbym tu opowiedzieć historię pewnego żonatego mężczyzny, ojca czworga dzieci, który w podróże służbowe zabierał potajemnie kochankę. Był człowiekiem schorowanym, pobudliwym, kłótliwym i nie potrafił zasnąć bez leków. Środki, jakie zapisał mu lekarz, nie pomagały na wysokie ciśnienie.

Wciąż coś mu dolegało, a lekarze byli bezradni. W dodatku pił na umór.

Korzeniem zła, rzecz jasna, było głębokie podświadome poczucie winy, wywołane jego notoryczną niewiernością, która kłóciła się z jego przekonaniami religijnymi, głęboko zakorzenionymi w podświadomości. Dlatego topił sumienie w alkoholu. Tak jak u ciężko chorych uśmierza się czasem ból morfiną i kodeiną, tak on szukał podobnego odurzenia w piciu. W ten sposób dolewał oliwy do ognia.

Zwrot ku dobremu

Słuchał uważnie, gdy objaśniałem działanie ludzkiego umysłu. Zrozumiał, wyciągnął z tego konsekwencje i przerwał podwójne życie. Widział, że jego nieumiarkowane picie to tylko nieświadoma próba ucieczki od problemu. Najpierw należało usunąć tkwiącą w podświadomości przyczynę zła; dopiero potem możliwe było uzdrowienie.

Zaczął wywierać na swoją podświadomość pożądany wpływ, powtarzając trzy razy dziennie następującą modlitwę: „Mój umysł pełen jest spokoju, równowagi i niewzruszonej pewności. Mam swoją cząstkę w nieskończenie mądrym powszechnym umyśle. Nie boję się niczego w przeszłości, teraźniejszości ani przyszłości. Nieskończenie mądra podświadomość kieruje mną na wszystkich drogach. Odtąd w każdej kłopotliwej sytuacji okazuję pewność, spokój i ufność. Całkowicie wyzwoliłem się z pijaństwa. Panuje we mnie spokój, wolność i radość. Wybaczam sobie – ale też doznaję wybaczenia. Odtąd moim myśleniem kierować będą samodyscyplina i niezachwiana ufność."

Modlitwę tę powtarzał często mając pełną świadomość tego, co i dlaczego robi. Jasno wytyczony cel dawał mu też całkowitą ufność i niewzruszone zaufanie do siebie. Wiedział, że ta powoli, żarliwie i świadomie powtarzana modlitwa stopniowo wryje mu się w podświadomość. Odczytywał tę modlitwę z kartki, widział ją, słyszał i wpoił podświadomości.

Zatarło się w niej wszystko, co negatywne, co wcześniej rzucało cień na jego życie.

Światło odpędza ciemność. Konstruktywna myśl niszczy negatywną. W ciągu miesiąca stał się zupełnie nowym człowiekiem.

Potrzeba samopoznania

Może uzależniłeś się od narkotyków albo alkoholu? Zastanów się uczciwie nad sobą i spójrz prawdzie w oczy! Wielu ludzi nie wyleczyło się z alkoholizmu tylko dlatego, że brakło im odwagi samopoznania.

Nałóg tych ludzi to choroba wywołana lękiem albo wewnętrzną niepewnością. Nie umieją pokierować własnym życiem i uciekają do kieliszka jako sposobu ucieczki przed odpowiedzialnością. Każdy alkoholik jest człowiekiem bezwolnym, choć często lubi się chwalić siłą woli. Jeśli nałogowy pijak powiada: „Nie wypiję już ani kropelki", znaczy to, że stale brak mu siły, żeby wcielić tę słuszną decyzję w życie. Skąd miałby wziąć tę siłę? Żyje w więzieniu, do którego sam się wtrącił; jest niewolnikiem nałogu, który zawładnął całym jego życiem.

Jak nabrać siły, by się wyswobodzić

Jeśli jesteś alkoholikiem, zerwanie z nałogiem jest dla ciebie sprawą życia i śmierci. Potrzebną do tego siłę da ci wyobrażenie wolności i wewnętrznego spokoju. Kiedy na stałe wejdzie ci ono w nawyk, zapadnie w podświadomość, wyzwoli cię od jakiegokolwiek pragnienia alkoholu. Ze zrozumienia na nowo funkcji swojego umysłu czerpać możesz pewność i siłę, które uwolnią cię od nałogu.

Wyleczenie w 51 procentach

Jeśli szczerze pragniesz uwolnić się od niebezpiecznego nawyku, wyleczyłeś się już w 51 procentach. Kiedy chęć rzucenia nałogu bierze górę nad chęcią pozostania przy nim, nietrudno będzie ci całkiem się go pozbyć.

Twoja podświadomość powiększa działanie każdej myśli, jaką jej wpoisz. Jeśli ktoś zajmie umysł wyobrażeniem wolności (wolności od nałogu) oraz spokoju ducha i skupi się na tym nowym celu, wprawi się stopniowo w nastrój radosnej nadziei, potrzebny do urzeczywistnienia takiego zamiaru. Każde przeżywane uczuciowo wyobrażenie zostanie przyjęte i zrealizowane przez podświadomość.

Prawo substytucji

Myśl często o tym, że nie darmo się męczyłeś, że na pewno się wyleczysz. Mimo to, byłoby niemądrze nakładać sobie jakiegokolwiek ograniczenia dłużej, niż to konieczne.

Alkoholizm prowadzi na dłuższą metę do duchowej i fizycznej ruiny. Możesz czerpać odwagę z myśli, że za twoją decyzją przezwyciężenia nałogu stoi ogromna moc podświadomości. Gdyby myśl o rozstaniu z „miłym" nałogiem choć przez chwilę cię zasmuciła, skup się natychmiast na radości czekającego cię wyzwolenia. To jest właśnie prawo substytucji. To wyobraźnia przywiodła cię do kieliszka – tej samej sile zawierz w drodze do wolności i spokoju. Pierwsze kroki będą na pewno niełatwe, ale wspaniała nagroda jest blisko. Myśląc o przyszłych radościach pokonasz ten kryzys jak matka, która wkrótce zapomina o bólach rodzenia. Będziesz mógł nacieszyć się owocem swoich wysiłków: nowo odkrytą wolnością.

Przyczyna alkoholizmu

Przyczyna alkoholizmu – jak i wszelkiego zła – leży w negatywnym i destruktywnym myśleniu: *„Albowiem taki jest człowiek, jakie myśli w jego sercu"*. Alkoholik cierpi na poczucie głębokiego niedowartościowania, bezradności i beznadziejności, z którym częstokroć idzie w parze silna niechęć do świata. Niezależnie od usprawiedliwień, jakie znajduje dla swojej słabości, można ją w gruncie rzeczy sprowadzić do jednej jedynej przyczyny – mianowicie, do błędnego sposobu myślenia.

Trzy magiczne kroki

Krok pierwszy: Odpręż umysł i ciało. Wpraw się w trans, który wzmocni twoją gotowość, da ci wewnętrzną równowagę i najlepiej przygotuje do drugiego kroku.

Krok drugi: Ułóż sobie krótkie i łatwe do zapamiętania hasło i powtarzaj je aż do zaśnięcia. Dobrym przykładem byłoby takie zdanie: „Oto znalazłem trzeźwość i spokój, dziękuję". Dla lepszego zapamiętania możesz powtarzać hasło głośno albo bezgłośnie, ale poruszając wargami. Powtarzaj przytoczone wyżej zdanie tak długo, aż nastąpi reakcja emocjonalnego wyzwolenia.

Krok trzeci: Tuż przed zaśnięciem idź za przykładem Goethego. Wyobrażaj sobie, że stoi przy tobie serdeczny przyjaciel albo ktoś z twoich bliskich. Oczy masz zamknięte, jesteś fizycznie i psychicznie odprężony. Spróbuj teraz jak najplastyczniej roztoczyć przed sobą wizję uszczęśliwionego przyjaciela, który ściska ci rękę i mówi: „Gratuluję!" Zobacz w wyobraźni jego uśmiech, usłysz głos, poczuj uścisk dłoni – wszystko to jest rzeczywistością. Gratulacje dotyczą twojego zupełnego wyzwolenia od alkoholu. Wyświetlaj sobie w umyśle ten film tak długo, aż nastąpi pożądana reakcja podświadomości.

Nigdy nie trać otuchy

Gdyby miały cię nachodzić lęki albo wątpliwości, spoglądaj ufnie w przyszłość, która przyniesie ci szczęście i wyzwolenie. Pamiętaj, że w twojej podświadomości drzemie ogromna siła i że możesz ją obudzić myślą i wyobrażeniem – a to doda ci otuchy, siły i pewności siebie. Nie poddawaj się, walcz dalej – a osiągniesz cel.

STRESZCZENIE

1. Każdy problem kryje w sobie rozwiązanie. Każde pytanie zawiera odpowiedź. Nieskończona mądrość przychodzi z pomocą temu, kto wzywa ją w ufnej wierze.

2. Główną funkcją podświadomości jest wyrabianie w tobie przyzwyczajeń. Nie istnieje dobitniejszy przykład jej siły niż potęga nawyków, kształtujących ludzkie życie. Człowiek jest więźniem przyzwyczajenia.

3. Przez stałe powtarzanie tego, co myślimy albo robimy, podświadomość wpaja sobie wzorce automatycznych reakcji albo zachowań. Dzięki temu uczymy się chodzić, pływać, tańczyć, pisać na maszynie, prowadzić samochód itd.

4. Masz wolny wybór. Możesz wybrać dobry albo zły nawyk. Dobrym nawykiem jest modlitwa.

5. Podświadomość urzeczywistni każde wyobrażenie, jakie będziesz jej wpajać z wiarą i uporem.

6. Jedyną przeszkodą na drodze do sukcesu są twoje negatywne myśli i wyobrażenia.

7. Ilekroć poczujesz, że ulegasz rozproszeniu, przywołaj się do porządku i ponownie skup myślenie na celu, do którego dążysz. Wyrób w sobie nawyk takiej umysłowej autodyscypliny.

8. Twoją świadomość można porównać do aparatu fotograficznego, podświadomość zaś do światłoczułego filmu, który utrwala kolejne obrazy.

9. Nie istnieją żadne złe passy, tylko zgubne skutki twoich lęków. Działaj zatem zawsze w poczuciu pewności, że wszelkie przedsięwzięcia doprowadzą cię do sukcesu. Wyobrażaj sobie, że dotarłeś do celu, i trwaj przy tej wizji uparcie.

10. Ktoś, kto chce zerwać ze starym nawykiem, powinien działać w mocnym przeświadczeniu, że wyzwolenie uczyni go zdrowszym i szczęśliwszym. Kiedy tylko chęć zerwania z „miłym" nałogiem stanie się silniejsza od chęci jego zachowania, będziemy już w połowie drogi.

11. Cudze słowa i czyny mogą urazić cię tylko wtedy, kiedy im na to pozwolisz w myślach i uczuciach. Nigdy nie trać z oczu celu, jakim jest spokój, harmonia i radość. To ty myśleniem tworzysz sobie świat.

12. Picie na umór jest ucieczką od rzeczywistości. Prawdziwą przyczyną pijaństwa jest negatywne i destruktywne myślenie. Wyleczy się z niego każdy, kto w myśleniu skupi się na wolności, trzeźwości i doskonałości, kto wczuje się w przyszłe szczęście, jakiego zazna dzięki wyzwoleniu od nałogu.

13. Wielu ludzi trwa w szponach alkoholizmu tylko dlatego, że brak im odwagi, aby przyznać się przed sobą do nałogu.

14. To samo prawo podświadomości, które dotychczas zniewalało cię i ograniczało twoją swobodę działania, obdarzy

cię teraz wolnością i szczęściem. Od ciebie tylko zależy, jak zastosujesz tę przemożną zasadę.

15. To siła wyobraźni przywiodła cię do kieliszka. Wyobraź sobie, że wyzwoliłeś się od nałogu – a ta sama siła cię wyzwoli.

16. Prawdziwą przyczyną alkoholizmu jest negatywne i destruktywne myślenie. *„Albowiem taki jest człowiek, jakie myśli w jego sercu”.*

17. Strach i zwątpienie, które dręczą twoją duszę, odegnasz łatwo, zawierzając się Bogu.

Rozdział 19

Jak siły podświadomości płoszą lęk

Jeden ze studentów opowiadał mi kiedyś, że zaproszono go na bankiet, na którym miał wygłosić przemówienie. Na myśl o licznym audytorium wpadł w panikę. Mimo to zdołał przezwyciężyć strach. Przez kilka kolejnych wieczorów siadał na krótko w wygodnym fotelu i powoli, spokojnie i stanowczo wbijał sobie do głowy zdania: „Zapanuję nad tremą. Już jest mniejsza. Wygłoszę przemówienie bezbłędnie i bez zająknięcia. Jestem całkiem rozluźniony wewnętrznie i zewnętrznie." Umiejętne przemawianie do podświadomości dało pożądany efekt.

Nasza podświadomość jest zawsze podatna na sugestię. Kiedy rozluźnisz ciało i umysł, świadome myśli (w procesie – jak opisywaliśmy – podobnym do osmozy) zapadną w podświadomość, i dzięki jej twórczej dynamice spełni się twoje życzenie. W ten sposób z dnia na dzień nabierzesz pewności i zaufania do siebie.

Największy wróg człowieka

Strach nazwano kiedyś największym wrogiem człowieka. Często jest przyczyną niepowodzeń, chorób i napięcia w stosunkach międzyludzkich. Miliony ludzi boją się przeszłości albo przyszłości, starości, choroby umysłowej albo śmierci. Strach jednak jest tylko treścią i skutkiem twoich myśli – w istocie to ich się boisz.

Małego chłopca paraliżuje strach przed „czarnym ludem", który leży pod łóżkiem i zaraz go zabierze. Ale wystarczy, żeby ojciec zaświecił światło i wyjaśnił dziecku, że niebezpieczeństwo istnieje tylko w jego wyobraźni, a strach pryska. Nie byłby on jednak większy, gdyby straszny „czarny lud" rzeczywiście istniał. Chłopczyka jednak wyzwala prawda: to, czego się bał, nie istnieje.

Większość ludzkich lęków pozbawiona jest podstaw; to po prostu cienie rzucane przez chory umysł.

Zrób to, czego się boisz

Emerson mawiał: „Zrób to, czego się boisz, a skończy się strach".

Mnie również dręczyła dawniej trema – zdołałem ją jednak pokonać dzięki temu, że zmuszałem się do publicznego mówienia. Robiłem to, czego się bałem – a wkrótce strach znikł.

Kiedy stwierdzisz z przekonaniem, że potrafisz pokonać strach i podejmiesz odpowiednią świadomą decyzję, uruchomisz zgodne z twoim myśleniem działanie podświadomości.

Jak pokonała tremę

Nie wystarczy mieć dobry głos! Pewna debiutująca śpiewaczka, której zaproponowano próbne przesłuchanie w operze, powitała z radością szansę kontraktu – choć już trzy takie okazje kończyły się całkowitą klęską wskutek tremy. Była przekonana, że i tym razem strach sparaliżuje jej struny głosowe i uniemożliwi występ na miarę umiejętności. Tego rodzaju obawy podświadomość rozumie mylnie jako wezwanie, które należy wykonać.

Moi czytelnicy wiedzą już zapewne, że była to typowa dobrowolna autosugestia. Śpiewaczka swoim przesadnym strachem sprowadzała sama na siebie niepowodzenie.

Zdołała uwolnić się od tremy dzięki znanej nam technice: Trzy razy dziennie zamykała się w swoim pokoju. Siadała w wygodnym fotelu, zamykała oczy i odprężała ciało i umysł. Fizyczny spokój czyni umysł chłonniejszym na sugestie. Śpiewaczka zwalczała strach odpowiednią antysugestią: „Śpiewam pięknie. Jestem całkowicie zrównoważona, spokojna, pewna i pogodna." Słowa te powtarzała trzy razy dziennie i dodatkowo przed zaśnięciem powoli, spokojnie i z przejęciem pięć do dziesięciu razy. Już po tygodniu nabrała niewzruszonego spokoju i pewności. Tym razem zaśpiewała na przesłuchaniu i dostała engagement.

Strach przed niepowodzeniem

Przychodzą do mnie czasem studenci naszego uniwersytetu, którzy cierpią na amnezję sugestywną (lękowy zanik pamięci). Skarżą mi się (a kłopot ten miewają też nauczyciele): „Ledwo egzamin się skończy, przypominają mi się wszystkie odpowiedzi. Ale na egzaminie nie pamiętam nic."

U wszystkich moich pacjentów stwierdzam niewspółmierny strach przed niepowodzeniem. To lęk jest prawdziwą przyczyną takich chwilowych zaników pamięci. Znałem młodego studenta medycyny, którego zaliczano do najzdolniejszych na roku. Na pisemnych i ustnych egzaminach nie był jednak w stanie odpowiedzieć na najprostsze pytania. Wyjaśniłem mu, na czym polega prawdziwa przyczyna jego niepowodzeń. Martwił się już na długo przed egzaminem i powstałe w ten sposób negatywne oczekiwanie urastało do trwałego, wręcz nieprzezwyciężonego lęku.

Każdą myśl, wywołującą tak przemożne uczucie, podświadomość wcieli w czyn. Podświadomość młodego człowieka musiała odebrać jego paniczny strach jako wezwanie, aby przyciągnąć porażkę – i to właśnie zrobiła. W dniu egzaminu kandydat znajdował się zawsze w stanie określanym przez psychologów mianem amnezji sugestywnej.

Jak pokonał strach

Wyjaśniłem mu, że skarbcem jego pamięci jest podświadomość; że starannie przechowuje ona wszystko, cokolwiek przeczytał i usłyszał w czasie studiów. Następnie przekonałem go, że podświadomość reaguje stale i niezawodnie, ale że warunkiem jej działania jest poczucie pewności oraz odprężenie ciała i umysłu.

Student zaczął codziennie rano i wieczorem wyobrażać sobie, jak matka gratuluje mu znakomitych ocen; oczyma duszy czytał list od niej. Gdy mu się to w pełni udało, wywołał odpowiednią reakcję. Obudził drzemiącą w podświadomości mądrość, skierował świadome myślenie na odpowiednie tory i dalsza droga była już łatwa: zdawał wszystkie egzaminy bez trudu. Innymi słowy, jego podświadomość, „przejąwszy władzę", kazała mu dać z siebie wszystko.

Strach przed wodą

Wielu ludzi boi się korzystać z windy, wspinać po górach albo pływać. Często wynika to z przeżyć dzieciństwa – kogoś wrzucono siłą do wody, ktoś inny jadąc windą stanął między piętrami i popadł w klaustrofobię.

Mając jakieś dziesięć lat, wpadłem do stawu. Do dziś dokładnie pamiętam swój śmiertelny strach i rozpaczliwą walkę o oddech, pamiętam, jak coraz ciemniejsza woda nakryła mnie w końcu mrokiem. Uratowano mnie w ostatniej chwili. Tamto przeżycie wryło mi się głęboko w podświadomość, nawet wiele lat później odczuwałem paniczny lęk przed wodą.

Pewien sędziwy psycholog poradził mi: „Niech pan pójdzie nad tamten staw, spojrzy w wodę i powie głośno i donośnie: «Ja tu rządzę; jestem silniejszy od ciebie, zapanuję nad tobą». Niech się pan później nauczy pływać, wejdzie do wody i pokona ją."

Tak też zrobiłem. Na moją zmianę postawy zareagowała wszechwładna podświadomość, dając mi siłę i wiarę w siebie, dzięki którym zdołałem przezwyciężyć strach. Nie daj się więc nigdy zastraszyć – ani wodzie, ani czemukolwiek innemu. Pamiętaj: ty tu rządzisz!

Niezawodny sposób pokonywania strachu

Poniższej metody nauczyłem już wielu ludzi. Ma ona magiczne działanie. Spróbuj!

Załóżmy, że boisz się pływać. Trzy albo cztery razy dziennie siądź na pięć minut w fotelu. Odpręż się całkowicie i wyobraź sobie, że umiesz pływać. W wyobraźni będziesz naprawdę płynąć. Oto przeżycie subiektywne: wyobraźnią przeniosłeś się na basen albo nad jezioro. Czujesz chłód wody i rytmiczne ruchy rąk i nóg. Nie jest to bynajmniej jałowe rozmarzenie – wiesz już, że każde przeżycie w twojej wyobraźni udziela się podświadomości. Prędzej czy później poczujesz wewnętrzną potrzebę urzeczywistnienia obrazu, jaki wrył ci się w podświadomość. Oto jedno z podstawowych praw umysłu.

Ten sam sposób możesz stosować przy wszelkich lękach bez względu na ich źródło. Ktoś, kto ma skłonność do zawrotów głowy, powinien sobie plastycznie wyobrazić, że balansuje pewnie po wąskiej kładce albo że wspiął się na wysoki szczyt i cieszy się pięknym krajobrazem i swoją sprawnością fizyczną. Im bardziej realistyczne wizje w twojej wyobraźni, tym prędzej nastąpi pożądana reakcja i opadnie wszelki strach.

Błogosławił windę

Znałem pewnego dyrektora dużego przedsiębiorstwa, który nie był w stanie skorzystać z windy. Co rano wdrapywał się po schodach na piąte piętro do swojego biura. Pewnego dnia jednak zaczął zwalczać strach. Kilka razy dziennie i tuż przed zaśnięciem rozmyślał o dobrodziejstwach windy, formułując je w następujących słowach: „Winda w naszym budynku to wspaniała rzecz. Wymyślił ją wszechmocny umysł. To istne dobrodziejstwo dla wszystkich naszych pracowników. Oddaje nam nieocenione usługi. Nawet ona podlega boskim prawom. Korzystam z niej tak jak wszyscy inni i sprawia mi to przyjemność. Czuję w duszy strumień życia, miłości i zrozumienia. Widzę siebie w windzie: w towarzystwie kilku naszych pracowników opieram się lekko plecami o ścianę. Pytam ich o coś, a oni odpowiadają uprzejmie i z radością. To wspaniałe przeżycie wyzwolenia, pewności i wiary w siebie. Jestem za to z całego serca wdzięczny."

Modlitwę tę powtarzał przez jakieś dziesięć dni, chcąc pokonać klaustrofobię; jedenastego dnia bez cienia strachu wsiadł do windy.

Normalny i nienormalny strach

Rzeczą wrodzoną są dla człowieka dwa rodzaje lęku: przed spadaniem i przed groźnymi odgłosami. Dla celów samozachowawczych natura wyposażyła nas w rodzaj systemu alarmowego. Normalny strach jest czymś dobrym. Słysząc, jak nadjeżdża samochód, uskakujesz na bok, ratując w ten sposób życie. Strach przed przejechaniem wywołuje spontaniczne działanie obronne. Na tym przykładzie widać, jak działa ów naturalny system alarmowy.

Ludzkie życie przyćmione jest jednak wieloma lękami i bezzasadnymi obawami, które są ewidentnym skutkiem błędnego wychowania. Odpowiedzialni są za to rodzice, rodzina, nauczyciele oraz inne czynniki wpływające na psychikę dziecka.

Nienormalny strach

Nienormalny strach jest wytworem niekontrolowanej wyobraźni. Pewna pani, którą zaproszono w podróż samolotem dookoła świata, zaczęła wycinać z gazet wszelkie doniesienia o katastrofach lotniczych. Widziała już, jak spada, tonie w oceanie albo płonie. Są to oczywiście upiorne wizje zrodzone z nienormalnego strachu. Gdyby jednak nie zdołała poskromić swoich urojeń, mogłoby nastąpić to, czego się najbardziej bała.

Kolejnym przykładem takich nienormalnych obaw jest pewien nowojorski biznesmen, niegdyś bardzo prężny i zamożny. Choć pod każdym względem wiodło mu się dobrze, popadł w najgorsze czarnowidztwo, które kultywował w wyobraźni, roztaczając przed sobą same realistyczne sceny klęski. Widział siebie w opustoszałych pomieszczeniach biurowych z pustymi kasami, ba, nawet w trakcie postępowania upadłościowego. Mimo ostrzeżeń nie mógł się wyzwolić od owych katastroficznych wyobrażeń; stale robił żonie uwagi w rodzaju: „Daleko w ten sposób nie zajedziemy", „Z pewnością będzie kryzys", „Już my na pewno splajtujemy" itd.

Nic dziwnego, że jego interesy szły coraz gorzej, aż w końcu sprawdziły się najgorsze obawy: rzeczywiście zbankrutował. Sądząc po kondycji firmy, nie musiało do tego dojść, ale sam ściągnął nieszczęście, niepoprawnie dając się ponosić czarnowidztwu. Jak rzekł Hiob: *„Czego lękałem się najbardziej, spotkało mnie"* (Job 3,24).

Niektórzy boją się, że coś stanie się ich dzieciom oraz że sami mogą ulec strasznej katastrofie. Gdy przeczytają o epidemii albo rzadkiej chorobie, zaczynają żyć w ciągłym strachu przed zakażeniem. A jak jest z tobą?

Sposób na nienormalny strach

Weź się w garść! Ktoś, kto poddaje się własnym lękom, niszczy wszystko: swoje życie, perspektywy, ciało i umysł. Kiedy opadnie nas strach, rodzi się zarazem usilne pragnienie odczuć, które byłyby odwrotnością dręczącej nas wizji. Skup się wtedy czym prędzej na tym wymarzonym przeciwieństwie. Zajmij się wyłącznie pozytywnym wyobrażeniem – jak ci bowiem wiadomo, twoje subiektywne wyobrażenie dojdzie do głosu dzięki sile podświadomości. Taka postawa umysłu doda ci odwagi i poprawi nastrój. Dzięki temu będziesz żyć w spokoju i bezpieczeństwie. Nic nie może ci się stać.

Spójrz grozie w oczy

Dyrektor generalny pewnego wielkiego przedsiębiorstwa pamięta do dziś, jak zaczynając pracę przedstawiciela handlowego, kilka razy mijał dom każdego klienta, zanim odważył się wejść. Pewnego dnia kierownik działu sprzedaży, który mu tym razem towarzyszył, powiedział: „Czy pan się boi czarnego luda? Nic takiego nie istnieje. Pański strach jest całkiem bezzasadny.” Odtąd nauczył się stawiać czoło lękom.

Wylądował w dżungli

Pewien kapelan opowiadał mi kiedyś o swoich przeżyciach podczas drugiej wojny światowej. Pewnego dnia musiał wyskoczyć na spadochronie z płonącego samolotu i wylądował w dżungli. Bał się bardzo, wiedział jednak, że istnieją dwa rodzaje strachu – normalny i nienormalny, którego istotę wyjaśniliśmy powyżej.

Przemyślał spokojnie sytuację i powiedział sobie: „Nie możesz poddać się przerażeniu. Twój strach to tylko pragnienie ratunku i bezpieczeństwa.” Po czym stwierdził ufnie: „Kieruje mną nieskończona mądrość, która określa tory planet – i ona teraz wyprowadzi mnie z dżungli”.

Mówił to zdanie głośno do siebie. „Potem, opowiadał, coś we mnie drgnęło. Ogarnęło mnie poczucie pewności. I wyruszyłem w drogę. Po kilku dniach, kiedy niemal cudem umknąłem niebezpieczeństwom, zabrał mnie samolot ratunkowy."

Ocaliła go postawa umysłu. Ufność i niezachwiana wiara w subiektywną mądrość, ukrytą w umyśle, pomogły mu wyjść z pozornie beznadziejnej sytuacji.

Swoją opowieść zakończył tak: „Gdybym w którymś momencie zaczął się nad sobą użalać i poddał się, padłbym ofiarą strachu i pewnie umarłbym z głodu".

Wymówił sobie stanowisko

Mój znajomy, prokurent w wielkim przedsiębiorstwie, opowiadał mi, że swego czasu przez jakieś trzy lata żył w ciągłym strachu przed zwolnieniem. Ustawicznie myślał o ewentualnych niepowodzeniach. Jego obawy brały się jedynie ze schyłkowych nastrojów. Niezwykle żywa wyobraźnia doprowadziła go do tego, że ze strachu przed utratą posady popadł w niepewność i nerwowość. W końcu poproszono go rzeczywiście o opuszczenie stanowiska.

Ściśle biorąc jednak, to on wymówił sobie posadę. Jego ciągłe negatywne wyobrażenia i autosugestia spowodowały odpowiednią reakcję podświadomości. Wyłącznie dlatego zaczął w pewnej chwili naprawdę popełniać błędy i podejmować mylne decyzje, co na jego stanowisku było nie do przyjęcia. Nigdy nie straciłby posady, gdyby od razu skupił się na marzeniach, będących przeciwieństwem jego trwożnych wizji.

Sprzysięgli się przeciw niemu

Podróżując niedawno z wykładami dookoła świata odbyłem dwugodzinną rozmowę z pewnym wysokim urzędnikiem państwowym. Emanował on niezmąconym spokojem i pogodą. Oświadczył mi, że nigdy nie wyprowadzały go z równowagi ataki w prasie ani inwektywy politycznych przeciwników. Każdego ranka zwykł przez kwadrans oddawać się rozważaniom, a zwłaszcza wyobrażeniu, że w jego sercu kryje się całe morze spokoju. Z tej myśli czerpał niespożytą siłę, która pozwalała mu przezwyciężać wszelkie trudności i obawy.

Jakiś czas temu w środku nocy zadzwonił do niego kolega, aby ostrzec go przed spiskiem, jaki przeciw niemu uknuto. Odpowiedział na to: „Chciałbym się teraz spokojnie wyspać. Pomówimy o tym o dziesiątej rano."

Mówił mi dalej: „Wiem, że żadna negatywna myśl nigdy się nie urzeczywistni, chyba że zareaguję emocjonalnie i w duchu przyjmę tę myśl jako fakt. Z zasady nie daję sobie zasugerować żadnych obaw. Dzięki temu nic nie może mi się stać."

Jakiż to był niewzruszony, spokojny, pewny siebie człowiek! Nigdy nie przyszłoby mu do głowy, by się zdenerwować czy załamywać ręce z rozpaczy. W jego psychice kryły się pokłady sił, z których czerpał niezmącony spokój.

Pozbądź się wszelkiego strachu

Chcąc pozbyć się wszelkiego strachu, stosuj poniższą niezawodną formułę: *„Szukałem Pana, a on mnie wysłuchał i uwolnił od wszelkiej trwogi"* (Ps 34,5). Słowo „Pan" należy tu tłumaczyć jako wszechwładzę, czyli siłę twojej podświadomości. Spróbuj wniknąć w jej tajemnice, pracę i działanie. Naucz się technik opisanych w tym rozdziale. Zastosuj je już dziś.

Twoja podświadomość zareaguje i uwolni cię od wszelkiego lęku. *„Szukałem Pana, a on mnie wysłuchał i uwolnił od wszelkiej trwogi".*

STRESZCZENIE

1. Zrób to, czego się boisz, a wszelki strach minie. Powiedz sobie z całym przekonaniem: „Pokonam ten strach" – a wtedy ci się uda.

2. Lęk jest myślą negatywną. Zastąp go konstruktywnymi wyobrażeniami. Strach zabił już miliony ludzi. Wiara w siebie i nadzieja są silniejsze od strachu. Nie ma nic potężniejszego niż wiara w Boga i dobro.

3. Strach jest największym wrogiem człowieka. To on jest prawdziwą przyczyną wielu porażek, chorób i napięć w stosunkach międzyludzkich. Miłość przepędza wszelki strach; oznacza emocjonalny związek z dobrymi stronami życia. Pokochaj uczciwość, schludność, życzliwość, szczęście, radość i pomyślność. Żyj w radosnym oczekiwaniu wszystkiego, co najlepsze, a wtedy stanie się to twoim udziałem.

4. Przeciwdziałaj sugestywności wszelkich trwożnych wizji, powtarzając sobie na przykład: „Jestem całkowicie spokojny, opanowany i pewny". Ta metoda przyniesie ci obfite korzyści.

5. Strach jest prawdziwą przyczyną zaników pamięci na egzaminach. Pokonasz ten stan mówiąc do siebie wielokrotnie z przekonaniem: „Mam bezbłędną pamięć, która zachowuje wszystko, co ważne, i zawsze służy mi w razie potrzeby". Wyobraź sobie, jak ktoś z przyjaciół gratuluje ci świetnie zdanego egzaminu. Nie pozwól, żeby cokolwiek odwiodło cię od tego pozytywnego marzenia – a wtedy ci się powiedzie.

6. Jeśli boisz się wody, idź pływać. Przenieś się duchem na plażę albo na basen. Poczuj, jak zimna woda obmywa i unosi twoje ciało. Obserwuj swoje rytmiczne ruchy i zamaszyste gesty. Jeśli ktoś dostatecznie długo będzie się upajać

tą czynnością, poczuje wkrótce potrzebę jej realizacji. Bez lęku wejdzie do wody i będzie umiał pływać. Takie są prawa umysłu.

7. Ktoś, kto boi się zamkniętych pomieszczeń, na przykład wind, zrobi najlepiej wsiadając w duchu do windy, jadąc nią i po drodze uzmysławiając sobie dobrodziejstwa tego urządzenia oraz jego działanie. Stwierdzi z zaskoczeniem, jak szybko ten sposób rozwiewa wszelkie lęki.

8. Tylko dwa lęki są dla człowieka czymś wrodzonym: lęk przed upadkiem i przed groźnymi odgłosami. Wszelkie inne obawy to wynik niekorzystnych wpływów środowiska. Pozbądź się ich.

9. Normalny strach jest rzeczą dobrą, nienormalny stanowi duże zagrożenie. Ktoś, kto stale oddaje się trwożliwym wizjom, pada w końcu ofiarą nienormalnego strachu, obsesji i kompleksów. Życie w ciągłym strachu przed wyimaginowanym niebezpieczeństwem wpędza człowieka w panikę i paraliżujące przerażenie.

10. Wszelki nienormalny strach pokonasz, jeśli przypomnisz sobie, że podświadomość potrafi każdą sytuację obrócić na twoją korzyść. Jeśli nachodzi cię jakakolwiek trwożliwa wizja, skup się natychmiast na przeciwstawnym wobec niej marzeniu. Przede wszystkim jednak trwogę przepędza miłość.

11. Kto się boi niepowodzenia, niech skupi myśli na powodzeniu. Kto się boi choroby, niech pomyśli o pełni zdrowia. Ktoś, kto żyje w strachu przed wypadkiem, niech rozmyśla o dobroci oraz Bożej opiece. Kogo przeraża myśl o śmierci, niech pomyśli o życiu wiecznym. Bóg jest życiem – i żyjesz w Bogu.

12. Skutecznym środkiem na strach jest prawo substytucji. Każdej obawie można przeciwstawić nadzieję.

13. Strach to tylko myśl. Myśli jednak posiadają twórczą siłę. To dlatego Hiob mówił: „*Czego lękałem się najbardziej, spotkało mnie*" (Job 3,24). Myśl o rzeczach dobrych, a one się wydarzą.

14. Spójrz lękom w oczy. Badaj je w świetle rozumu. Naucz się śmiać ze swoich obaw – to najlepsze lekarstwo.

15. Nie może ci zaszkodzić nic z wyjątkiem własnych myśli. Cudze sugestie, stwierdzenia albo groźby nie mają nad tobą władzy. Ta władza spoczywa w tobie – a jeśli ktoś kieruje myśli ku dobru, chroni go ręka Boża. Istnieje tylko jedna twórcza moc, która rozwija się w harmonii i przez nią działa. Obce jej są kłótnie i spory, jedynym jej źródłem jest miłość. Dlatego też boska wszechmoc chroni tego, kto kieruje umysł ku dobru.

Rozdział 20

Jak w duchu zawsze zachować młodość

Twoja podświadomość nie starzeje się nigdy. Nie podlega czasowi, starzeniu się ani żadnym innym ograniczeniom. Jest cząstką uniwersalnego ducha Bożego, który nie ma początku ani końca, nie zna narodzin ani śmierci.

Przejawy zmęczenia i starzenia nie mogą mieć żadnych umysłowych ani psychicznych przyczyn. Cierpliwość, dobroć, prawdomówność, pokora, uczynność, spokój, harmonia i miłość bliźniego to cechy, które nie starzeją się nigdy. Kto podtrzymuje w sobie te przymioty, zachowa zawsze w duchu młodość.

Parę lat temu przeczytałem relację zespołu znakomitych lekarzy z kliniki De Courcy w Cincinnati (stan Ohio), zgodnie z którą przejawy starzenia i zużycia wcale nie są sprawą lat. Ten sam zespół stwierdził, że to nie czas, ale lęk przed jego nieubłaganym upływem odbija się na ludzkim umyśle i ciele. Prawdziwą przyczynę przedwczesnego starzenia należy upatrywać w nerwicowym lęku przed negatywnymi skutkami postępującego wieku.

W ciągu mojej wieloletniej działalności publicznej miałem

okazję poznawać życiorysy sławnych ludzi, którzy parali się twórczymi zajęciami i dokonywali największych osiągnięć dopiero w podeszłym wieku. Dane mi było też poznać wielu ludzi żyjących z dala od sławy, których ciche życie dowodziło, że sam tylko wiek nie niszczy sprawności umysłowej i fizycznej.

Postarzał się w myśleniu

Parę lat temu odwiedziłem w Londynie starego przyjaciela. Miał ponad 80 lat, był bardzo chory i najwyraźniej uginał się pod brzemieniem lat. Każde jego słowo zdradzało fizyczną słabość, poczucie beznadziejności i ogólny uwiąd – jak gdyby w istocie już nie żył. Skarżył się z rozpaczą, że jego życie straciło sens i nikomu już nie jest potrzebny. Potrząsając głową, tak streścił swoją błędną filozofię: „Rodzimy się, rośniemy, starzejemy, stajemy się ciężarem dla siebie i innych, i tak się to wszystko kończy".

Głęboko zakorzenione przekonanie, że jest niepotrzebny, było główną przyczyną zaniku jego sił. Przyszłość mogła mu zaoferować jedynie postępujące zgrzybienie, a ze śmiercią wszystko się dla niego kończyło. Jego podświadomość postarała się o to, żeby negatywne wyobrażenia nabrały widzialnych kształtów.

Starość to świt mądrości

To smutne, że postawę tego nieszczęśliwca podziela wielu ludzi. Boją się oni tak zwanej „starości", końca, zgaśnięcia. W gruncie rzeczy boją się śmierci dlatego, że nie znają życia. Życie bowiem nie ma końca. Podeszły wiek nie jest zmierzchem życia, ale świtem mądrości.

Mądrość zaś to nic innego jak poznanie ogromnych mocy tkwiących w podświadomości oraz ich wykorzystanie do udanego, sensownego i szczęśliwego życia. Wybij sobie raz na zawsze z głowy, że wiek 65, 75 albo 85 lat jest równoznaczny z twoim albo cudzym końcem. Każdy, choćby najbardziej podeszły wiek może być początkiem wspaniałego, owocnego, aktywnego i nader twórczego okresu w życiu, który przyćmi wszystkie poprzednie. Uwierz w to, a doczekasz udanej starości.

Witaj z radością każdą zmianę

Starzenie się nie jest tragedią. To, co przez ten proces rozumiemy, jest w gruncie rzeczy jedynie zmianą. Każdą przemianę warto powitać z radością i wdzięcznością, każda bowiem faza ludzkiego życia to tylko dalszy krok naprzód na drodze bez końca. Człowiek rozporządza siłami, które dalece przerastają jego fizyczne możliwości. Posiada zmysły, które ostrością przewyższają wszystkie pięć zmysłów.

Dzisiejsza nauka dowiodła niezbicie, że duchowa substancja wyposażona w świadomość potrafi opuszczać ciało ludzkie, przebywać tysiące kilometrów i tam widzieć, słyszeć, dotykać innych ludzi i do nich przemawiać, mimo że dana osoba nie rusza się z miejsca ani na milimetr.

Życie ludzkie jest duchowej natury i trwa wiecznie. Człowiek nie musi się starzeć, ponieważ Bóg, czyli życie, zestarzeć się nie może. Już Biblia powiada: „*Bóg jest życiem*". A życie odnawia się samo – jest wieczne, niezniszczalne i stanowi największą, najgłębszą rzeczywistość naszego doświadczenia.

Dalsze życie po śmierci jest rzeczą dowiedzioną

Naukowych dowodów na istnienie życia po śmierci nauka – na przykład brytyjskie i amerykańskie towarzystwa badań psychicznych – zgromadziła ogromną ilość. Każda choć trochę licząca się biblioteka publiczna posiada szereg dzieł, w których czołowi naukowcy zawarli wyniki badań parapsychologicznych. Liczne eksperymenty dostarczyły zaskakujących odkryć, dowodząc, że śmierć nie jest końcem, ale bramą prowadzącą ku nowej formie życia.

Życie „jest"

Pewna pani spytała kiedyś czarodzieja elektryczności Thomasa Edisona: „Proszę pana, co to jest elektryczność?"

Odpowiedział: „Droga pani, elektryczność **jest**, niech pani z niej korzysta".

Elektryczność to nasza nazwa niewidzialnej siły, której istoty nie zdołaliśmy zgłębić do dziś. Dzięki niestrudzonym badaniom poszerzamy jednak stale naszą wiedzę, znajdując coraz to nowe zastosowania dla tej tajemniczej siły. Naukowiec nie dostrzeże elektronu gołym okiem, ale przyjmuje jego istnienie za rzecz naukowo dowiedzioną, ponieważ z mnóstwa eksperymentów wynika nieuchronny, logiczny wniosek o jego istnieniu. Również życia nie widzimy, wiemy jednak, że jesteśmy przy życiu. Życie jest – urodziliśmy się, żeby wyrazić całe jego piękno i wspaniałość.

Umysł i psychika nie starzeją się

„A to jest życie wieczne: aby znali Ciebie, jedynego prawdziwego Boga" (J 17,3).

Ktoś, kto sądzi, że całym życiem jest ziemski krąg narodzin, dorastania, dojrzałości i starości, zasługuje doprawdy na współczucie. Człowiek, który myśli w ten sposób, nie ma kotwicy, nadziei, całościowego spojrzenia – życie jest dla niego wyzute z wszelkiego sensu. Takie błędne przekonanie może pociągnąć za sobą jedynie rozczarowanie, zaskorupiałość, cynizm i beznadzieję, prowadzące zwykle do ciężkich zaburzeń fizycznych, psychicznych i umysłowych. Jeśli już nie wytrzymujesz całego meczu w tenisa, pływasz wolniej niż twój syn, jeśli spowolniały twoje reakcje fizyczne i chód, jest to tylko okazja do przypomnienia sobie, że życie zmienia się i wyraża w coraz to nowych formach. To, co ludzie nazywają śmiercią, to tylko wyprawa w inny, nowy wymiar życia.

Słuchaczy moich wykładów upominam, żeby wobec tak zwanego „starzenia się" zachowywali spokój. Starość ma swoje zalety, urodę i mądrość. Równowaga ducha, miłość, radość, piękno, szczęście, mądrość, uczynność i wyrozumiałość to cechy, które nigdy się nie starzeją ani nie umierają. Twój charakter, walory umysłu, wiara i przekonania nie podlegają żadnemu uwiądowi. Trafnie powiedział o tym Emerson: „Lata człowieka zaczynamy liczyć dopiero wtedy, kiedy w jego życiu nie liczy się już nic prócz lat".

Każdy człowiek jest tak młody jak jego sposób myślenia

W londyńskiej Caxton Hall, gdzie co kilka lat wygłaszam publiczne wykłady, podszedł do mnie kiedyś pewien chirurg i powiedział: „Mam 84 lata. Co rano operuję, po południu robię obchód, a wieczorami piszę artykuły do pism medycznych i naukowych. Każdy człowiek jest tak młody i potrzebny, jak jego myśli i uczucia." I żywo przytaknął temu, co ja powiedziałem: „Rzeczywiście możemy mierzyć swoje siły i wartość na zamiary".

Tego chirurga nie ima się podeszły wiek. On wie, że jest nieśmiertelny. Na pożegnanie powiedział: „Gdybym miał jutro umrzeć, to tylko po to, żeby dalej operować w innym wymiarze – oczywiście nie skalpelem, ale na poziomie czysto umysłowej i psychicznej chirurgii".

Twoja siwizna to wygrana

Nigdy nie wycofuj się ze swojej działalności mówiąc: „Jestem za stary, to już końcówka". Zgrzybiałość i śmierć nie kazałyby na siebie długo czekać. Bywają trzydziestoletni starcy, a także osiemdziesięcioletni młodzieńcy. Umysł przesądza o stanie ciała, tak jak wyobraźnia architekta, projektanta i rzeźbiarza kształtuje materię. George Bernard Shaw był w wieku 90 lat niestrudzenie aktywny – jego twórczy geniusz był niespożyty.

Często słyszymy, że niektórzy pracodawcy po prostu wyrzucają za drzwi szukających pracy, którzy przekroczyli czterdziestkę. Postawa taka zasługuje na napiętnowanie jako odrażająca bezduszność i nieczułość. Myślenie, które stawia tylko na roczniki poniżej trzydziestu pięciu lat, jest szalenie powierzchowne. Gdyby taki pracodawca choć przez chwilę się zastanowił, zrozumiałby, że ludzie szukający pracy nie oferują swoich lat ani siwizny, ale gotowi są służyć wiedzą, umiejętnościami i doświadczeniem, jakie zebrali w ciągu wieloletnich zmagań życiowych.

Podeszły wiek to wygrana

Jeśli zaliczasz się już do starszych pracowników, to właśnie twój wiek jest znaczną korzyścią dla każdego przedsiębiorstwa, ponieważ przez lata żyłeś według „złotej zasady" (patrz rozdział 16), kierując się miłością oraz uczynnością. Siwe włosy powinno się raczej oceniać jako przejaw wyjątkowej mądrości, sprawności, doświadczenia i zrozumienia. Dojrzałość emocjonalna i umysłowa pracownika prędzej czy później okaże się drogocenna dla każdego pracodawcy.

Nikogo nie powinno wysyłać się na emeryturę tylko dlatego, że skończył 65 lat. Właśnie w tym wieku człowiek ma idealne warunki, na przykład, na szefa działu kadr i w ogóle do kierowania i podejmowania decyzji – krótko mówiąc, do dzielenia się z młodszymi pracownikami wieloletnim doświadczeniem i wprowadzania ich w twórcze myślenie.

Bądź w takim wieku, w jakim jesteś naprawdę

Pewien hollywoodzki scenarzysta filmowy mówił mi, że musi pisać scenariusze na poziomie intelektualnym dwunastolatka. To doprawdy tragedia, że właśnie środki masowego przekazu zakładają umysłową i emocjonalną niedojrzałość publiczności i swoją ofertą stawiają dojrzałości najcięższą zaporę. Ktoś, kto młodość rozumie głównie jako niedojrzałość, umacnia cudze niedoświadczenie i niezdolność osądu oraz skłonność do pochopnych ocen.

Nadążam stale za najlepszymi

Przypomina mi się tu pewien 65-letni mężczyzna, który czyni rozpaczliwe wysiłki, żeby wydać się młodym. Co niedziela chodzi pływać z młodymi ludźmi, wybiera się na długie piesze wycieczki, gra w tenisa i chwali się swoimi niespożytymi siłami, mówiąc: „Patrzcie, nadążam za najlepszymi!"

Jemu oraz podobnie myślącym szczególnie należy zalecić wielką prawdę: *„Albowiem taki jest człowiek, jakie myśli w jego sercu"*.

Człowiek ten nie zachowa młodości żadną dietą, treningiem ani sportem. Musi zrozumieć, że młodość i starość to pojęcia względne; że nie wyrażają się one w sprawności fizycznej, ale w sposobie myślenia. Jeśli ktoś trwa myślami przy pięknie, szlachetności i dobru, zachowa zawsze młodość, obojętne, ile lat by sobie liczył.

Lęk przed starością

Hiob powiada: *„Czego lękałem się najbardziej, spotkało mnie”* (Job 3,24). Wielu ludzi żyje w strachu przed starością i przyszłym losem, ponieważ sądzą, że wraz ze starzeniem się musi iść w parze rosnący uwiąd fizyczny i umysłowy. A co stale myślą i czują, to się urzeczywistnia.

Starość zaczyna się wtedy, kiedy człowiek przestaje interesować się życiem, snuć marzenia i szukać nowych światów. Jeśli jednak czyjś umysł otwarty jest na nowe pomysły i zainteresowania, jeśli ktoś dopuszcza do siebie coraz to nowe odkrycia, zachowa zawsze młodość i witalność.

Masz dużo do dania

Czy masz 65 czy 95 lat, pamiętaj, ile możesz jeszcze dać innym. Możesz doradzać młodemu pokoleniu, wspierać je i prowadzić. Możesz dzielić się z innymi wiedzą, doświadczeniem i mądrością. Możesz zawsze śmiało spoglądać w przyszłość – życie ludzkie nie ma bowiem końca. Doświadczysz tego, że zawsze można odkrywać nowe uroki i cuda życia. Spróbuj uczyć się wciąż czegoś nowego – a zachowasz młodość umysłu.

W wieku 110 lat

Kiedy parę lat temu wygłaszałem wykłady w Bombaju, przedstawiono mnie pewnemu mężczyźnie, który utrzymywał, że ma 110 lat. Miał najpiękniejszą twarz, jaką kiedykolwiek widziałem. Wydawał się prześwietlony wewnętrznym światłem. W jego oczach kryło się niepowtarzalne piękno. Był to dla mnie dowód, że powitał on starość z radosnym sercem, nie tracąc nic z przenikliwości ani jasności umysłu.

Emerytura nową przygodą

Nie pozwól, żeby twój umysł kiedykolwiek „przeszedł w stan spoczynku”. Bądź zawsze chłonny na nowe pomysły. Widywałem mężczyzn, odchodzących na emeryturę w wieku 65 albo 70 lat, którzy wyglądali, jakby coś ich zżerało od wewnątrz, i większość z nich zmarła już po paru miesiącach. Najwyraźniej przekonani byli, że ich życie dobiegło już kresu.

A właśnie emerytura może stać się nową przygodą, nowym okresem w życiu, stawiającym nam nowe zadania. Może stać się okazją do urzeczywistnienia wieloletnich marzeń. Nic bardziej deprymującego niż słowa: „Co ja z sobą pocznę na rencie (lub emeryturze)?” To w gruncie rzeczy ogłoszenie duchowej upadłości: „Jestem fizycznym i umysłowym trupem. Nie stać mnie już na żaden nowy pomysł.”

Wszystko to jednak najzupełniej mylne wyobrażenia. W rzeczywistości mając 90 lat można zdziałać więcej niż mając 60, z każdym dniem bowiem rośnie twoja pojętność i mądrość, a dzięki nowym zainteresowaniom i pogłębianiu wiedzy coraz bardziej odsłania się przed tobą sens życia.

Wstąpił na wyższy stopień

Pewien mój sąsiad, który w swojej pracy zajmował kierownicze stanowisko, musiał, osiągnąwszy granicę wieku, parę miesięcy temu iść na emeryturę. Powiedział mi: „Traktuję przejście na emeryturę jako awans”.

Zgodnie z własną filozofią jego życie było przejściem na coraz wyższe stopnie: ze szkoły wyższej na uniwersytet (postępy w edukacji i życiowym doświadczeniu) i z życia zawodowego w stan spoczynku. Emerytura więc dała mu okazję robienia tego, o czym zawsze marzył. Dlatego traktował to jako wyższy szczebel na drabinie życia i mądrości.

Zrozumiał, że już nie musi skupiać się na pracy zawodowej

ani zarabiać na utrzymanie; że odtąd całą uwagę poświęci jak najpełniejszemu korzystaniu z życia. Był zapalonym fotografem amatorem i teraz wreszcie mógł realizować się w fotografii i filmowaniu. Wyruszył w podróż dookoła świata, filmując najpiękniejsze i najciekawsze okolice. Dzisiaj nie jest w stanie skorzystać ze wszystkich zaproszeń do klubów, towarzystw i związków, aby wygłaszać ilustrowane filmem wykłady. Przed tym jakże ruchliwym intelektualnie człowiekiem otwierają się obecnie rozliczne nowe możliwości pracy i obszary zainteresowań. Zachwycaj się nowymi, twórczymi pomysłami, staraj się rozwijać umysł, nie ustawaj w nauce i nabywaniu mądrości. Dzięki temu w sercu zachowasz młodość, będziesz bowiem wciąż niesyty nowych odkryć – a twoje ciało jest zwierciadłem myślenia.

Nie bądź więźniem, ale współtwórcą społeczeństwa

Ostatnio prasa mocno podkreślała, że np. w Kalifornii i gdzie indziej gwałtownie rośnie liczba starszych wyborców. Znaczy to, że starsze roczniki coraz bardziej znajdują posłuch u władz stanowych i federalnych. Moim zdaniem, niedługo doczekamy nowej ustawy, która zabroni pracodawcom dyskryminowania pracowników jedynie ze względu na zaawansowany wiek.

Mężczyzna 65-letni może być umysłowo, psychicznie i fizycznie młodszy niż wielu trzydziestolatków. Jest rzeczą równie głupią, jak i śmieszną odprawiać szukających pracy tylko dlatego, że są po czterdziestce. Równie dobrze można by komuś powiedzieć, że nadaje się na złom.

Co jednak robić, kiedy się przekroczyło czterdziestkę? Czy ukryć się pod korcem? Ktoś, kogo ze względu na wiek pozbawi się prawa do pracy, obciąża kasę gminną, stanową albo federalną. Te same przedsiębiorstwa, które nie uznają starszych wiekiem kandydatów do pracy, muszą ich jednak przez wyższe podatki utrzymywać z własnej kieszeni – nie mogąc jednocześnie korzystać z ich doświadczeń. Prowadzi to do finansowego samobójstwa.

Człowiek ma prawo do korzystania z owoców swojej pracy oraz niezbywalne prawo do tego, aby nie być więźniem społeczeństwa, lecz jego współtwórcą. Ono jednak chce go skazać na bezczynność.

Funkcje i reakcje ciała ulegają z wiekiem stopniowemu spowolnieniu. Zdolności umysłu można jednak wzmagać i wyostrzać przy pomocy podświadomości. „*Kto dawne szczęście mi wróci, czas, kiedy Bóg mnie osłaniał, gdy świecił mi lampą nad głową? Z jego światłem kroczyłem w ciemności, gdym lata jesienne przeżywał, gdy Bóg osłaniał mój namiot*" (Job 29,2–4).

Tajemnica młodości

Jeśli chcesz wrócić do swoich młodych lat, wystarczy, że poczujesz, jak całą twoją istotą przepływa uzdrowicielska, odnowicielska moc podświadomości. Ciesz się myślą, że odmładza cię i oświeca nowa siła. Tak samo jak za młodu możesz tryskać radością i entuzjazmem, w każdej chwili bowiem możesz wrócić do tamtego stanu. Boska mądrość odsłoni ci wszystko, co zapragniesz wiedzieć. Nie oglądając się na pozory, siła ta pozwoli ci świadczyć o rzeczywistości i obecności dobra. Zaufaj przewodnictwu własnej podświadomości, wiedząc, że ona rozświetli każdy mrok.

Staraj się mieć całościową perspektywę

Zamiast mówić: „Jestem stary", obwieszczaj sobie z radością: „Rośnie we mnie mądrość boskiego życia". Nie pozwól, żeby nierozsądni pracodawcy, artykuły w gazetach albo statystyki wmówiły ci, że starzenie się oznacza umysłowy i fizyczny uwiąd, kruchość i bezużyteczność. Odrzucaj te niesłuszne poglądy. Niech nie zwiodą cię takie zafałszowania. Skup się na życiu – nie na śmierci. Staraj się o prawdziwe samopoznanie i całościową perspektywę, w której jawić się będziesz taki, jaki powinieneś być: szczęśliwy, rozradowany sukcesami, pogodny i silny.

Twój umysł nie starzeje się

Były prezydent Stanów Zjednoczonych Herbert Hoover aż do najpóźniejszych lat życia potrafił pokonywać nawał pracy. Parę lat temu rozmawiałem z nim w nowojorskim hotelu Waldorf-Astoria. Odkryłem w nim zdrowego, szczęśliwego, silnego, żywotnego człowieka. Kilka sekretarek załatwiających jego korespondencję miało pełne ręce roboty, on tymczasem znajdował jeszcze czas na pisanie książek o polityce i historii. Jak wszyscy inni wybitni ludzie, których dane mi było poznać, on także okazał się bezpośredni, życzliwy i bardzo wyrozumiały.

Przenikliwość jego umysłu i mądrość osądu były dla mnie niezapomnianym przeżyciem. Dane mi było poznać w nim człowieka głęboko religijnego, ufającego Bogu i pełnego niezachwianej wiary w zwycięstwo wiecznych prawd życia. Mimo iż w okresie wielkiego kryzysu wystawiony był na ostrą krytykę i oszczerstwa, przetrwał tę burzę bez nienawiści, niechęci, rozczarowania czy zgorzknienia, i odnalazł taki spokój duszy, jaki daje tylko Boża wszechmoc i miłość.

Ruchliwy umysł 95-latka

W wieku 65 lat mój ojciec zaczął uczyć się francuskiego i w wieku lat 70 stał się w tej dziedzinie uznanym autorytetem. Kiedy przekroczył siedemdziesiątkę, zaczął studiować język celtycki i został nauczycielem tego języka. Pomagał mojej siostrze w studiach, a zmarł w wieku 99 lat. Z wiekiem miał coraz ładniejsze pismo i coraz jaśniejszy umysł. Na przykładzie ojca doświadczyłem sam, że wiek człowieka to wiek jego myśli i uczuć.

Nasi starzy współobywatele są nam potrzebni

Rzymski patriota Katon nauczył się greki w wieku 80 lat. Słynna niemiecko-amerykańska śpiewaczka Ernestyna Schumann-Heink osiągnęła szczyt kariery twórczej wtedy, kiedy została już babką. To prawdziwa radość oglądać dokonania „starców".

Sokrates w wieku 70 lat nauczył się grać na kilku instrumentach, dochodząc w tym do mistrzostwa. Michał Anioł stworzył najwspanialsze malowidła w wieku 80 lat. Będąc w tym samym wieku Symonides z Keos otrzymał nagrodę poetycką, Goethe ukończył „Fausta", a Ranke rozpoczął „Historię powszechną", którą ukończył w wieku 91 lat.

Alfred Tennyson w wieku 83 lat napisał słynny wiersz „Crossing the Bar" („Tam, dokąd płynę"). Newton mając 85 lat był wciąż niestrudzenie aktywny. John Wesley jeszcze jako 88-latek stał na czele metodystów. Również wśród moich znajomych jest kilku 95-letnich mężczyzn, którzy zapewniają mnie zgodnie, że teraz czują się zdrowiej niż w wieku 20 lat.

Przykłady te pokazują, jakie miejsce należy się „starcom". Jeśli jesteś już na emeryturze, masz jeszcze czas zainteresować się prawami życia i cudami podświadomości. Zajmij się teraz wszystkim, co od dawna chciałeś robić. Poświęcaj się nowym sprawom, zapoznawaj z nowymi pomysłami.

Odmawiaj następującą modlitwę: *„Jak łania pragnie wody ze strumieni, tak dusza moja pragnie Ciebie, Boże"* (Ps 42,1).

Owoce naszego podeszłego wieku

„...wraca do dni młodości, jak wtedy ciało ma rześkie” (Job 33,25).

Podeszły wiek to tylko powołanie, aby spoglądać na Boże prawdy z najwyższej perspektywy. Pamiętaj zawsze, że jesteś w podróży bez końca; niestrudzenie posuwaj się naprzód, a ujrzysz przed sobą bezkresne życie. Posłuchaj głosu psalmisty: *„Wydadzą owoc nawet i w starości, pełni soków i zawsze żywotni”* (Ps 92,15).

„Owocem zaś Ducha jest: miłość, radość, pokój, cierpliwość, uprzejmość, dobroć, wierność, łagodność, opanowanie. Przeciw takim cnotom nie ma Prawa” (Ga 5,22–23).

Jesteś dzieckiem życia bez granic; jesteś dzieckiem wieczności.

STRESZCZENIE

1. Cierpliwość, dobroć, miłość, uczynność, radość, szczęście, mądrość i zrozumienie to cechy, które nie starzeją się nigdy. Fizyczną i umysłową młodość zachowa ten, kto je stale rozwija i realizuje w życiu.

2. Niektórzy naukowcy i lekarze twierdzą, że być może prawdziwą przyczyną przedwczesnego starzenia się jest nerwicowy lęk przed negatywnym wpływem czasu.

3. Starość nie jest zmierzchem życia, ale świtem mądrości.

4. Najpłodniejsze lata mogą przypaść na wiek pomiędzy 65 a 95 rokiem życia.

5. Z zadowoleniem witaj swoje lata. To one pozwalają ci dążyć niekończącą się ścieżką życia.

6. Bóg jest życiem, w Bogu żyjesz. Życie odnawia się stale samo z siebie, jest wieczną, niezniszczalną rzeczywistością naszego świata. Żyjesz zawsze i wiecznie, twoje życie jest bowiem cząstką życia Bożego.

7. Rozliczne dowody naukowe potwierdzają, że istnieje życie po śmierci. Przeczytaj sam, co na ten temat mają do powiedzenia poważni naukowcy.

8. Nie widzisz swojego rozumu, a jednak wiesz, że go masz. Nie możesz zobaczyć umysłu, a jednak wiesz, że umysł artysty, muzyka, mówcy, filozofa jest niezaprzeczalną rzeczywistością. Dobroć, prawdę i piękno, które powodują twoją myślą i sercem, cechuje taka sama nieodparta rzeczywistość. Nie widząc życia wiesz, że żyjesz.

9. Podeszły wiek określić można jako powołanie do patrzenia na Boże prawdy z najwyższej perspektywy. Radości późnego wieku są większe od uciech młodości. Sprawdzić się można także w duchowym sporcie; również w dyscyplinach umysłu bywają zawody i zwycięzcy. Natura każe cielesności wycofać się na rzecz ducha, który wreszcie może swobodnie zajmować się sprawami boskimi.

10. Nie liczymy komuś lat, dopóki w jego życiu liczą się jeszcze inne rzeczy. Wiara i przekonania nie podlegają rozkładowi.

11. Twój wiek to twoje młodzieńcze albo starcze myśli i uczucia. Swoje siły możesz mierzyć na zamiary. Jesteś o tyle przydatny, o ile przejmiesz się swoją przydatnością.

12. Siwe włosy to twoja wygrana. To przecież nie siwiznę masz do zaoferowania innym, ale zdolności, doświadczenie i mądrość, jaką zgromadziłeś przez lata.

13. Dieta i sport nikomu nie zapewnią wiecznej młodości. *„Albowiem taki jest człowiek, jakie myśli w jego sercu".*

14. Strach przed starością może prowadzić do fizycznego i umysłowego uwiądu. *„Czego lękałem się najbardziej, spotkało mnie"* (Job 3,24).

15. Będziesz starcem, kiedy przestaniesz marzyć i stracisz ciekawość życia. Będziesz starcem, odkąd zrobisz się pobudliwy, zdziwaczały i kłótliwy. Prawdziwie młody będziesz, kiedy przejmiesz się prawdami Bożymi, jaśniejąc Jego miłością.

16. Spoglądaj zawsze przed siebie, zawsze w przyszłość – życie nie ma bowiem końca.

17. Emerytura to początek nowej przygody. Zajmuj się nowymi dziedzinami wiedzy, poszerzaj swoje horyzonty. Masz teraz okazję robić wszystko to, za czym tęskniłeś, kiedy ci nie pozwalała na to praca. Całą uwagę poświęcaj temu, by żyć głęboko i korzystać z pełni życia.

18. Nie bądź więźniem, ale współtwórcą społeczeństwa. Rozwijaj swoje talenty i zdolności.

19. Tajemnicą młodości jest miłość, radość, wewnętrzny spokój i pogodny śmiech. *„W Nim radość jest pełna, w Nim nie ma ciemności".*

20. Jesteś komuś potrzebny. Niektórzy filozofowie, pisarze, artyści, naukowcy oraz inne osobistości dokonywały największych dzieł po osiemdziesiątce.

21. Owoce starości to miłość, radość, spokój, cierpliwość, uprzejmość, dobroć, wierność, łagodność, opanowanie.

22. Jesteś dzieckiem życia bez granic; jesteś dzieckiem wieczności. Ty właśnie jesteś cudem stworzenia.